CLASSIQUES & CIE LYCÉE

Molière
L'École des femmes
(1662)

suivi de La Critique
de l'École des femmes (1663)

Préface de **Joy Sorman**

Texte intégral suivi d'un dossier critique
pour la préparation du bac français

Collection dirigée par
Johan Faerber

Édition établie, annotée et commentée par
Laurence Rauline
agrégée de lettres modernes
docteur en littérature française de l'âge classique

Hatier

LE TEXTE

LE DOSSIER

Conception graphique de la maquette :
Texte : c-album, Jean-Baptiste Taisne, Rachel Pfleger
Dossier : Jehanne-Marie Husson
Principe de couverture : Double
Mise en pages : Chesteroc Ltd
Suivi éditorial : Brigitte Brisse

© Hatier, Paris, 2011
ISBN : 978-2-218-95897-7

OBJECTIF BAC

POUR ALLER PLUS LOIN

Femmes libérées, ou le féminisme dans *L'École des femmes*

par Joy Sorman

L'École des femmes, créée au Théâtre du Palais-Royal le 26 décembre 1662, agitera l'année 1663 aussi sûrement que la création du Mouvement pour la Libération des Femmes (MLF) mettra le feu à l'année 1970.

Trois siècles d'écart entre les déclarations d'Arnolphe – *Votre sexe n'est là que pour la dépendance / Du côté de la barbe est la toute-puissance* – et les mots d'ordre du MLF qui se donne pour mission de « faire émerger le sujet femme » : *Notre corps nous appartient*. Trois siècles, une éternité, pendant lesquels rares ont été les voix émancipatrices comme celle de Molière. Molière féministe en 1663 ? Osons l'affirmer.

Et déjà, constatons. Constatons la polémique (afférente au succès) provoquée par cette pièce, dont la création donna lieu à ce qu'on appelle « la querelle de *L'École des femmes* ». Querelle littéraire mais plus encore cabale sociale et morale, déchaînée contre la figure subversive de Molière. Non seulement la vie de l'homme de théâtre se défie des bonnes convenances de son temps – en 1662, Molière a 40 ans et épouse Armande, la fille de sa maîtresse Madeleine Béjart, au mépris des accusations de relations incestueuses – mais surtout son théâtre attaque frontalement les tenants de la morale traditionnelle et de l'institution, remettant en cause l'éducation des filles et l'institution du mariage, autant dire de sérieux fondements de la société du XVIIᵉ.

L'École des femmes est le récit de la naissance d'une femme, Agnès ; naissance qui est une émancipation ; naissance permise par la découverte de l'amour, l'apprentissage du sentiment, l'adhésion à sa pleine jeunesse.

Tout se passe comme si Molière chuchotait à l'oreille de son personnage : *cours Agnès, le vieux monde est derrière toi*, l'engageant à se libérer et à suivre son désir. Ce vieux monde c'est celui incarné par Arnolphe, qui se fait appeler Monsieur de la Souche : titre de noblesse monnayé, témoignant de son goût pour le pouvoir et l'autorité, évoquant irrésistiblement la souche d'arbre enracinée, fichée dans le sol. Arnolphe ne rêve que d'une chose, prendre racine, assurer sa descendance, et que surtout rien ne bouge, rien ne se transforme, rien n'arrive qui ne vienne troubler le bel ordonnancement ancestral du monde.

Sa crainte obsessionnelle du cocuage est d'abord une angoisse devant les débordements de la vie, les impondérables du sentiment, les mouvements du monde. Pétri d'idées toutes faites, de préjugés et de conservatisme, le rigide Arnolphe s'exprime en monologues sentencieux ou tirades impersonnelles. Face à lui, des figures masculines progressistes : Chrysalde qui incarne l'honnête homme ouvert d'esprit. Et Horace dont l'emportement amoureux et le naturel candide sont comme des traces de féminité qui viennent troubler son genre – un genre masculin d'un nouveau type. Horace incarne cet homme *féminin*, qui revendique pour lui le primat du cœur, traditionnellement attaché aux femmes.

L'amour est cette force qui émancipe Agnès et fait d'Horace un homme rétif à la virilité traditionnelle incarnée par Arnolphe, celle du pouvoir, du calcul et de l'argent.

Molière se range du côté du naturel et de l'innocence, pour défendre un modèle de société aux mœurs plus douces, à la fois équitables et épicuriennes, mais aussi parce qu'advient alors la possibilité d'une libération. Agnès est l'illustration vivante et incontestable de l'échec de l'éducation réservée aux femmes, une éducation qui maintient à l'écart du monde, dans l'ignorance. Ignorance qui expose à la crédulité mais ne garantit pas la vertu. On a tenté d'isoler Agnès, de la figer dans un modèle que l'affrontement avec la réalité fait immédiatement éclater. Il aura fallu une rencontre et une seule, il aura fallu l'étincelle d'un premier sentiment pour que le système mis en place par Arnolphe s'écroule. Arnolphe incapable du moindre pragmatisme amoureux.

Le propos de Molière est subversif parce qu'il prône la liberté sexuelle mais surtout parce qu'il fait de l'amour le moteur de l'émancipation de la femme, et plus encore le moteur de l'intelligence. Le sentiment chez Agnès, loin de l'aveugler, la transforme en femme malicieuse et libre. Agnès, la gourde naïve, apprend l'amour et surtout apprend de l'amour. C'est Horace qui le dit : *Il le faut avouer, l'amour est un grand maître : / Ce qu'on ne fût jamais il nous enseigne à l'être; (…) Et donne de l'esprit à la plus innocente.*

L'École des femmes consacre le triomphe de la raison du cœur et par là même le triomphe de la jeunesse. En opposant l'âge de la raison, incarné par Arnolphe – raison impuissante et aveugle – et cet âge rebelle à toute raison, celui d'Agnès et d'Horace, Molière prend le parti de la jeunesse, la jeunesse étant l'autre nom de l'amour, l'autre nom du cœur. Ce n'est pas seulement la femme qu'Arnolphe veut mettre au pas, c'est aussi la jeunesse : *Est-ce que vous voulez qu'un père ait la mollesse / De ne savoir pas faire obéir la jeunesse ?* Tout comme le sentiment, elle est force de débordement, indomptable, elle ne connaît pas d'autre loi que celle de son désir ; rebelle, elle jouit. *L'École des femmes* est aussi une pièce sur cette jeunesse-là, une réflexion sur la parenté jeunesse / féminin, qui témoigne de la force subversive portée par l'une comme par l'autre, de cette revendication commune du primat du corps. L'échec de l'éducation des femmes est aussi celui de l'éducation de la jeunesse : brimer, entraver l'une comme l'autre, expose à de sérieux revers, expose au retour fracassant de la vie qui gronde et ne se laisse pas soumettre.

L'ÉCOLE
DES FEMMES

Comédie

À Madame[1]

Madame,

Je suis le plus embarrassé homme du monde, lorsqu'il me faut dédier un livre ; et je me trouve si peu fait au style d'épître dédicatoire[2], que je ne sais par où sortir de celle-ci. Un autre auteur qui serait en ma place trouverait d'abord cent belles choses à dire de Votre Altesse Royale, sur le titre de *L'École des femmes*, et l'offre qu'il vous en ferait. Mais, pour moi, Madame, je vous avoue mon faible[3]. Je ne sais point cet art de trouver des rapports entre des choses si peu proportionnées ; et, quelques belles lumières que mes confrères les auteurs me donnent tous les jours sur de pareils sujets, je ne vois point ce que Votre Altesse Royale pourrait avoir à démêler[4] avec la comédie que je lui présente. On n'est pas en peine, sans doute, comment[5] il faut faire pour vous louer. La matière, Madame, ne saute que trop aux yeux ; et, de quelque côté qu'on vous regarde, on rencontre gloire sur gloire, et qualités sur qualités. Vous en avez, Madame, du côté du rang et de la naissance, qui vous font respecter de toute la terre. Vous en avez du côté des grâces, et

---

1. *Madame* : Henriette d'Angleterre (1644-1670), femme de Monsieur, Philippe Ier, duc d'Orléans et frère du Roi (1640-1701), à qui Molière avait dédié *L'École des maris*. Henriette d'Angleterre était une femme intelligente et cultivée. En 1664, Molière la choisit pour être marraine de son fils Louis. Sa mort prématurée inspira à Bossuet une célèbre oraison funèbre, prononcée à Saint-Denis le 21 août 1670. \ **2.** L'épître dédicatoire, placée en tête d'une œuvre, permet à l'auteur de dédier son livre à un personnage célèbre, souvent puissant, et de lui rendre hommage. \ **3.** *Faible* : faiblesse, insuffisance. \ **4.** *Avoir à démêler avec* : avoir affaire avec. \ **5.** *Comment* : de savoir comment.

de l'esprit et du corps, qui vous font admirer de toutes les personnes qui vous voient. Vous en avez du côté de l'âme, qui, si l'on ose parler ainsi, vous font aimer de tous ceux qui ont l'honneur d'approcher de vous : je veux dire cette douceur pleine de charmes, dont vous daignez tempérer la fierté des grands titres que vous portez ; cette bonté toute obligeante[1], cette affabilité[2] généreuse que vous faites paraître pour tout le monde. Et ce sont particulièrement ces dernières pour qui je suis, et dont je sens fort bien que je ne me pourrai taire quelque jour. Mais encore une fois, Madame, je ne sais point le biais[3] de faire entrer ici des vérités si éclatantes ; et ce sont choses, à mon avis, et d'une trop vaste étendue et d'un mérite trop relevé, pour les vouloir renfermer dans une épître, et les mêler avec des bagatelles. Tout bien considéré, Madame, je ne vois rien à faire ici pour moi, que de vous dédier simplement ma comédie, et de vous assurer, avec tout le respect qu'il m'est possible, que je suis,

De Votre Altesse Royale,

Madame,

Le très humble, très obéissant

et très obligé serviteur,

J.-B. Molière.

---

1. *Obligeante* : aimable, qui aime rendre service. \ 2. *Affabilité* : courtoisie, amabilité. \ 3. *Biais* : moyen rhétorique (en contexte).

Préface

Bien des gens ont frondé[1] d'abord[2] cette comédie ; mais les rieurs ont été pour elle, et tout le mal qu'on en a pu dire n'a pu faire qu'elle n'ait eu un succès dont je me contente.

Je sais qu'on attend de moi dans cette impression quelque préface qui réponde aux censeurs[3] et rende raison[4] de mon ouvrage ; et sans doute que je suis assez redevable à toutes les personnes qui lui ont donné leur approbation, pour me croire obligé de défendre leur jugement contre celui des autres ; mais il se trouve qu'une grande partie des choses que j'aurais à dire sur ce sujet est déjà dans une dissertation que j'ai faite en dialogue[5], et dont je ne sais encore ce que je ferai. L'idée de ce dialogue, ou, si l'on veut, de cette petite comédie, me vint après les deux ou trois premières représentations de ma pièce. Je la dis, cette idée, dans une maison où je me trouvai un soir, et d'abord une personne de qualité[6], dont l'esprit est assez connu dans le monde, et qui me fait l'honneur de m'aimer, trouva le projet assez à son gré, non seulement pour me solliciter d'y mettre la main, mais encore pour l'y mettre lui-même ; et je fus étonné que deux jours après il me montra toute l'affaire

---

1. *Frondé* : critiqué, contesté. Ce terme constitue peut-être une allusion indirecte à la Fronde (1648-1653), période de troubles et de contestation par le Parlement et par les nobles du pouvoir du jeune roi Louis XIV. \ 2. *D'abord* : d'emblée, tout de suite. \ 3. *Censeurs* : ceux qui s'opposent aux représentations publiques de la pièce, au nom des bonnes mœurs. \ 4. *Rende raison* : explique, justifie. \ 5. *Dissertation que j'ai faite en dialogue* : *La Critique de l'École des femmes*, représentée le 1er juin 1663, soit environ deux mois et demi après la publication du texte de *L'École des femmes*. \ 6. Il s'agit de l'abbé du Buisson, ami de Molière, réputé pour sa culture et pour son esprit.

exécutée d'une manière à la vérité beaucoup plus galante et plus spirituelle que je ne puis faire, mais où je trouvai des choses trop avantageuses pour moi; et j'eus peur que, si je produisais cet ouvrage sur notre théâtre, on ne m'accusât d'abord d'avoir mendié les louanges qu'on m'y donnait. Cependant cela m'empêcha, par quelque considération, d'achever ce que j'avais commencé. Mais tant de gens me pressent tous les jours de le faire, que je ne sais ce qui en sera; et cette incertitude est cause que je ne mets point dans cette préface ce qu'on verra dans la *Critique*, en cas que[1] je me résolve à la faire paraître. S'il faut que cela soit, je le dis encore, ce sera seulement pour venger le public du chagrin[2] délicat de certaines gens; car, pour moi, je m'en tiens assez vengé par la réussite de ma comédie; et je souhaite que toutes celles que je pourrai faire soient traitées par eux comme celle-ci, pourvu que le reste[3] soit de même.

---

1. *En cas que*: au cas où. \ 2. *Chagrin*: déplaisir, mauvaise humeur. \ 3. *Le reste*: le succès, la réussite (en contexte).

Les acteurs

ARNOLPHE, autrement M. DE LA SOUCHE[1].

AGNÈS, jeune fille innocente, élevée par Arnolphe[2].

HORACE, amant d'Agnès[3].

ALAIN, paysan, valet d'Arnolphe[4].

GEORGETTE, paysanne, servante d'Arnolphe[5].

CHRYSALDE, ami d'Arnolphe.

ENRIQUE, beau-frère de Chrysalde.

ORONTE, père d'Horace et grand ami d'Arnolphe.

La scène est dans une place de ville.

---

1. Le rôle était tenu par Molière lui-même. Le nom du personnage renvoie au motif du cocuage : saint Arnoul (ou Arnulphius) était le saint patron des cocus. \ **2.** Le rôle était tenu par Mlle de Brie. Sainte Agnès était réputée pour sa pudeur et son innocence. \ **3.** Ce prénom, dans la comédie italienne, est habituellement celui de l'amant, du galant. \ **4.** Le rôle était tenu par Brécourt. \ **5.** Le rôle était tenu par Mlle de La Grange.

Acte premier

Scène première

CHRYSALDE, ARNOLPHE

CHRYSALDE

Vous venez, dites-vous, pour lui donner la main[1] ?

ARNOLPHE

Oui, je veux terminer la chose dans demain[2].

CHRYSALDE

Nous sommes ici seuls ; et l'on peut, ce me semble,
Sans craindre d'être ouïs, y discourir ensemble :
5 Voulez-vous qu'en ami je vous ouvre mon cœur ?
Votre dessein pour vous me fait trembler de peur ;
Et de quelque façon que vous tourniez l'affaire,
Prendre femme est à vous[3] un coup bien téméraire.

ARNOLPHE

Il est vrai, notre ami[4]. Peut-être que chez vous
10 Vous trouvez des sujets de craindre pour chez nous ;

---

1. *Lui donner la main* : l'épouser. \ 2. *Dans demain* : demain. \ 3. *À vous* : pour vous. \ 4. *Notre ami* : mon ami. Mis pour l'adjectif possessif de la 1re personne du singulier, « notre » signale la modestie et la politesse de Chrysalde.

Et votre front, je crois, veut que du mariage
Les cornes[1] soient partout l'infaillible apanage[2].

CHRYSALDE

Ce sont coups du hasard, dont on n'est point garant,
15 Et bien sot, ce me semble, est le soin qu'on en prend.
Mais quand je crains pour vous, c'est cette raillerie[3]
Dont cent pauvres maris ont souffert la furie ;
Car enfin vous savez qu'il n'est grands ni petits[4]
Que de votre critique on ait vus garantis ;
20 Que vos plus grands plaisirs sont[5], partout où vous êtes,
De faire cent éclats des intrigues secrètes…

ARNOLPHE

Fort bien : est-il au monde une autre ville aussi
Où l'on ait des maris si patients qu'ici ?
Est-ce qu'on n'en voit pas, de toutes les espèces,
25 Qui sont accommodés chez eux de toutes pièces[6] ?
L'un amasse du bien, dont sa femme fait part
À ceux qui prennent soin de le faire cornard ;
L'autre un peu plus heureux, mais non pas moins infâme[7],
Voit faire tous les jours des présents à sa femme,
30 Et d'aucun soin jaloux[8] n'a l'esprit combattu,
Parce qu'elle lui dit que c'est pour sa vertu.
L'un fait beaucoup de bruit qui ne lui sert de guère ;
L'autre en toute douceur laisse aller les affaires,
Et voyant arriver chez lui le damoiseau[9],

---

1. Les cornes sont le symbole du cocuage. \ **2.** *Apanage* : indissociable de, le privilège de (avec une nuance ironique). \ **3.** Sous-entendu : que je crains. \ **4.** « Grands » et « petits » renvoient au rang social des époux. \ **5.** *Que vos plus grands plaisirs sont…* : car vos plus grands plaisirs sont… \ **6.** *Accommodés chez eux de toutes pièces* : maltraités, ridiculisés de toutes les façons. \ **7.** *Infâme* : perdu de réputation. \ **8.** *Soin jaloux* : souci de jalousie. \ **9.** *Damoiseau* : jeune galant, séducteur.

Prend fort honnêtement [1] ses gants et son manteau.
35 L'une de son galant, en adroite femelle,
Fait fausse confidence à son époux fidèle,
Qui dort en sûreté sur un pareil appas,
Et le plaint, ce galant, des soins qu'il ne perd pas ;
L'autre, pour se purger de sa magnificence [2],
40 Dit qu'elle gagne au jeu l'argent qu'elle dépense ;
Et le mari benêt, sans songer à quel jeu,
Sur les gains qu'elle fait rend des grâces à Dieu.
Enfin, ce sont partout des sujets de satire ;
Et comme spectateur ne puis-je pas en rire ?
45 Puis-je pas de nos sots [3]… ?

CHRYSALDE

                    Oui ; mais qui rit d'autrui
Doit craindre qu'en revanche [4] on rie aussi de lui.
J'entends parler le monde ; et des gens se délassent
À venir débiter les choses qui se passent ;
Mais, quoi que l'on divulgue aux endroits où je suis,
50 Jamais on ne m'a vu triompher [5] de ces bruits.
J'y suis assez modeste ; et, bien qu'aux occurrences [6]
Je puisse condamner certaines tolérances,
Que mon dessein ne soit de souffrir [7] nullement
Ce que quelques maris souffrent paisiblement,
55 Pourtant je n'ai jamais affecté de le dire [8] ;
Car enfin il faut craindre un revers de satire,

---

1. *Honnêtement* : poliment. \ **2.** *Pour se purger de sa magnificence* : pour se justifier de ses dépenses excessives.\ **3.** L'ellipse de la négation « ne » dans les phrases interro-négatives se retrouve très fréquemment dans la suite du texte. \ **4.** *En revanche* : en retour, par souci de revanche. \ **5.** *Triompher* : me réjouir. \ **6.** *Aux occurrences* : à l'occasion. \ **7.** *Souffrir* : supporter, tolérer. \ **8.** *Affecté de le dire* : aimé, eu du plaisir à le dire. Ce sens du verbe « affecter » se perd après le XVIIᵉ siècle.

Et l'on ne doit jamais jurer sur de tels cas
De ce qu'on pourra faire, ou bien ne faire pas.
Ainsi, quand à mon front, par un sort qui tout mène,
60 Il serait arrivé quelque disgrâce humaine,
Après mon procédé[1], je suis presque certain
Qu'on se contentera de s'en rire sous main ;
Et peut-être qu'encor j'aurai cet avantage,
Que quelques bonnes gens diront que c'est dommage,
65 Mais de vous, cher compère, il en est autrement :
Je vous le dis encor, vous risquez diablement.
Comme sur les maris accusés de souffrance[2]
De tout temps votre langue a daubé d'importance[3],
Qu'on vous a vu contre eux un diable déchaîné,
70 Vous devez marcher droit pour n'être point berné ;
Et s'il faut que sur vous on ait la moindre prise,
Gare qu'aux carrefours on ne vous tympanise[4],
Et…

ARNOLPHE

Mon Dieu, notre ami, ne vous tourmentez point :
Bien huppé[5] qui pourra m'attraper sur ce point.
75 Je sais les tours rusés et les subtiles trames
Dont pour nous en planter[6] savent user les femmes,
Et comme on est dupé par leurs dextérités.
Contre cet accident j'ai pris mes sûretés ;
Et celle que j'épouse a toute l'innocence
80 Qui peut sauver mon front de maligne influence[7].

---

1. *Procédé*: façon d'agir. \ **2.** *Souffrance*: tolérance, complaisance. \ **3.** *A daubé d'importance*: s'est moquée avec arrogance. \ **4.** *Tympanise*: critique publiquement. \ **5.** *Huppé*: malin, habile (familier). \ **6.** *Pour nous en planter*: pour nous planter des cornes, pour nous faire cocus. \ **7.** *Sauver mon front de maligne influence*: me sauver d'un destin de cocu (vocabulaire de l'astrologie).

CHRYSALDE

Et que prétendez-vous qu'une sotte, en un mot…

ARNOLPHE

Épouser une sotte est pour n'être point sot [1].
Je crois, en bon chrétien, votre moitié fort sage ;
Mais une femme habile est un mauvais présage ;
85 Et je sais ce qu'il coûte à de certaines gens
Pour avoir pris les leurs avec trop de talents.
Moi, j'irais me charger d'une spirituelle [2]
Qui ne parlerait rien que cercle et que ruelle [3],
Qui de prose et de vers ferait de doux écrits,
90 Et que visiteraient marquis et beaux esprits,
Tandis que, sous le nom du mari de Madame,
Je serais comme un saint que pas un ne réclame [4] ?
Non, non, je ne veux point d'un esprit qui soit haut ;
Et femme qui compose en sait plus qu'il ne faut.
95 Je prétends que la mienne, en clartés peu sublime,
Même ne sache pas ce que c'est qu'une rime ;
Et s'il faut qu'avec elle on joue au corbillon [5]
Et qu'on vienne à lui dire à son tour : « Qu'y met-on ? »
Je veux qu'elle réponde : « Une tarte à la crème » ;
100 En un mot, qu'elle soit d'une ignorance extrême ;
Et c'est assez pour elle, à vous en bien parler [6],
De savoir prier Dieu, m'aimer, coudre et filer.

---

1. Jeu de mot sur le double sens de *sot* : naïf, stupide, mais aussi cocu. \ **2.** *Une spirituelle* : une femme d'esprit. \ **3.** Le *cercle* (assemblée) et la *ruelle* (espace entre le lit et le mur devenu espace de réception pour les femmes du monde) sont deux symboles de la sociabilité mondaine. \ **4.** *Réclame* : invoque. \ **5.** Le *corbillon* est un jeu d'enfants, qui consiste à trouver des rimes en réponse à la question « Qu'y met-on ? ». La réponse prêtée par Arnolphe à Agnès est donc parfaitement inadaptée. \ **6.** *À vous en bien parler* : pour tout vous dire.

CHRYSALDE

Une femme stupide est donc votre marotte[1] ?

ARNOLPHE

Tant, que j'aimerais mieux une laide bien sotte
105 Qu'une femme fort belle avec beaucoup d'esprit.

CHRYSALDE

L'esprit et la beauté…

ARNOLPHE

                    L'honnêteté suffit.

CHRYSALDE

Mais comment voulez-vous, après tout, qu'une bête
Puisse jamais savoir ce que c'est qu'être honnête ?
Outre qu'il est assez ennuyeux, que je crois,
110 D'avoir toute sa vie une bête avec soi,
Pensez-vous le bien prendre[2], et que sur votre idée
La sûreté d'un front puisse être bien fondée ?
Une femme d'esprit peut trahir son devoir ;
Mais il faut pour le moins qu'elle ose le vouloir ;
115 Et la stupide au sien peut manquer d'ordinaire[3],
Sans en avoir l'envie et sans penser le faire.

ARNOLPHE

À ce bel argument, à ce discours profond,
Ce que Pantagruel à Panurge répond[4] :
Pressez-moi de me joindre à femme autre que sotte,

---

1. Renvoi plaisant à l'origine du mot *marotte* : image de la Vierge ou poupée montée sur un bâton. Le mot désigne aussi l'un des attributs du fou. Il a pris enfin le sens abstrait de folie, idée fixe. \ **2.** *Le bien prendre* : bien prendre le problème. \ **3.** *D'ordinaire* : habituellement. \ **4.** Référence au *Tiers Livre* de Rabelais (1546) qui porte, pour l'essentiel, sur les interrogations de Panurge relatives au mariage.

120 Prêchez, patrocinez jusqu'à la Pentecôte ;
    Vous serez ébahi, quand vous serez au bout,
    Que vous ne m'aurez rien persuadé du tout.

CHRYSALDE

Je ne vous dis plus mot.

ARNOLPHE

                    Chacun a sa méthode.
    En femme, comme en tout, je veux suivre ma mode [1].
125 Je me vois riche assez pour pouvoir, que je crois,
    Choisir une moitié qui tienne tout de moi,
    Et de qui la soumise et pleine dépendance
    N'ait à me reprocher aucun bien ni naissance [2].
    Un air doux et posé, parmi d'autres enfants,
130 M'inspira de l'amour pour elle dès quatre ans ;
    Sa mère se trouvant de pauvreté pressée,
    De la lui demander il me vint la pensée ;
    Et la bonne paysanne, apprenant mon désir,
    À s'ôter cette charge eut beaucoup de plaisir.
135 Dans un petit couvent, loin de toute pratique [3],
    Je la fis élever selon ma politique,
    C'est-à-dire ordonnant quels soins on emploierait
    Pour la rendre idiote [4] autant qu'il se pourrait.
    Dieu merci, le succès a suivi mon attente :
140 Et grande, je l'ai vue à tel point innocente,
    Que j'ai béni le Ciel d'avoir trouvé mon fait [5],
    Pour me faire une femme au gré de mon souhait.

---

1. *Suivre ma mode* : faire à ma façon. \ 2. *Aucun bien ni naissance* : le sacrifice des richesses apportées en dot et d'une naissance noble. \ 3. *Pratique* : fréquentation. \ 4. *Idiote* : privée d'éducation (et pas nécessairement d'intelligence). \ 5. *Mon fait* : mon affaire.

Je l'ai donc retirée ; et comme ma demeure
À cent sortes de monde est ouverte à toute heure,
145 Je l'ai mise à l'écart, comme il faut tout prévoir,
Dans cette autre maison, où nul ne me vient voir ;
Et pour ne point gâter sa bonté naturelle,
Je n'y tiens que des gens [1] tout aussi simples qu'elle,
Vous me direz : Pourquoi cette narration ?
150 C'est pour vous rendre instruit de ma précaution.
Le résultat de tout est qu'en ami fidèle
Ce soir je vous invite à souper avec elle ;
Je veux que vous puissiez un peu l'examiner,
Et voir si de mon choix on me doit condamner.

CHRYSALDE

155 J'y consens.

ARNOLPHE

Vous pourrez, dans cette conférence,
Juger de sa personne et de son innocence.

CHRYSALDE

Pour cet article-là, ce que vous m'avez dit
Ne peut…

ARNOLPHE

La vérité passe encor mon récit.
Dans ses simplicités à tous coups je l'admire [2],
160 Et parfois elle en dit dont je pâme de rire.
L'autre jour (pourrait-on se le persuader ?),
Elle était fort en peine, et me vint demander,

---

1. *Je n'y tiens que des gens* : je n'y entretiens que des domestiques. \ **2.** *Je l'admire* : je la considère avec étonnement.

Avec une innocence à nulle autre pareille,
Si les enfants qu'on fait se faisaient par l'oreille [1].

CHRYSALDE

165 Je me réjouis fort, Seigneur Arnolphe…

ARNOLPHE

Bon !

Me voulez-vous toujours appeler de ce nom ?

CHRYSALDE

Ah ! malgré que j'en aie [2], il me vient à la bouche,
Et jamais je ne songe à Monsieur de la Souche.
Qui diable vous a fait aussi vous aviser,
170 À quarante et deux ans, de vous débaptiser,
Et d'un vieux tronc pourri de votre métairie
Vous faire dans le monde un nom de seigneurie ?

ARNOLPHE

Outre que la maison par ce nom se connaît,
La Souche plus qu'Arnolphe à mes oreilles plaît.

CHRYSALDE

175 Quel abus de quitter le vrai nom de ses pères
Pour en vouloir prendre un bâti sur des chimères !
De la plupart des gens c'est la démangeaison [3] ;
Et, sans vous embrasser dans la comparaison,
Je sais un paysan qu'on appelait Gros-Pierre,
180 Qui n'ayant pour tout bien qu'un seul quartier de terre,

---

1. Agnès se fait de la conception une idée très naïve, tirée des livres de prières, selon lesquels le Christ aurait été conçu par l'oreille de la Vierge (conception auriculaire), au moment de l'Annonciation. \ 2. *Malgré que j'en aie* : contre ma volonté. \ 3. *Démangeaison* : désir, caprice.

Y fit tout à l'entour faire un fossé bourbeux,
Et de Monsieur de l'Isle en prit le nom pompeux[1].

ARNOLPHE

Vous pourriez vous passer d'exemples de la sorte.
Mais enfin de la Souche est le nom que je porte :
185 J'y vois de la raison, j'y trouve des appas ;
Et m'appeler de l'autre est ne m'obliger pas[2].

CHRYSALDE

Cependant la plupart ont peine à s'y soumettre,
Et je vois même encor des adresses de lettre...

ARNOLPHE

Je le souffre aisément de qui n'est pas instruit ;
190 Mais vous...

CHRYSALDE

Soit : là-dessus nous n'aurons point de bruit[3].
Et je prendrai le soin d'accoutumer ma bouche
À ne plus vous nommer que Monsieur de la Souche.

ARNOLPHE

Adieu. Je frappe ici pour donner le bonjour,
Et dire seulement que je suis de retour.

CHRYSALDE, *s'en allant.*

195 Ma foi, je le tiens fou[4] de toutes les manières.

ARNOLPHE

Il est un peu blessé[5] sur certaines matières.
Chose étrange de voir comme avec passion

---

1. Allusion moqueuse au nom pris par Thomas Corneille (1625-1709), frère de Pierre. \ **2.** *Ne m'obliger pas* : me désobliger, me déplaire. \ **3.** *Bruit* : querelle. \ **4.** *Je le tiens fou* : je le considère comme un fou. \ **5.** *Blessé* [du cerveau] : fou.

Un chacun est chaussé de son opinion !
Holà !

Scène II

ALAIN, GEORGETTE, ARNOLPHE

ALAIN

Qui heurte [1] ?

ARNOLPHE

Ouvrez. On aura, que je pense,
200 Grande joie à me voir après dix jours d'absence.

ALAIN

Qui va là ?

ARNOLPHE

Moi.

ALAIN

Georgette !

GEORGETTE

Hé bien ?

ALAIN

Ouvre là-bas.

GEORGETTE

Vas-y, toi.

---

1. *Heurte* : frappe à la porte.

ALAIN

Vas-y, toi.

GEORGETTE

Ma foi, je n'irai pas.

ALAIN

Je n'irai pas aussi.

ARNOLPHE

Belle cérémonie
Pour me laisser dehors ! Holà ho, je vous prie.

GEORGETTE

205   Qui frappe ?

ARNOLPHE

Votre maître.

GEORGETTE

Alain !

ALAIN

Quoi ?

GEORGETTE

C'est Monsieur.
Ouvre vite.

ALAIN

Ouvre, toi.

GEORGETTE

Je souffle notre feu.

ALAIN

J'empêche, peur du chat, que mon moineau ne sorte.

ARNOLPHE

Quiconque de vous deux n'ouvrira pas la porte
N'aura point à manger de plus de quatre jours.
210 Ha !

GEORGETTE

Par quelle raison y venir, quand j'y cours ?

ALAIN

Pourquoi plutôt que moi ? Le plaisant strodagème[1] !

GEORGETTE

Ôte-toi donc de là.

ALAIN

Non, ôte-toi, toi-même.

GEORGETTE

Je veux ouvrir la porte.

ALAIN

Et je veux l'ouvrir, moi.

GEORGETTE

Tu ne l'ouvriras pas.

ALAIN

Ni toi non plus.

GEORGETTE

Ni toi.

ARNOLPHE

215 Il faut que j'aie ici l'âme bien patiente !

---

1. Déformation, due au parler populaire d'Alain, du terme « stratagème ».

ALAIN

Au moins, c'est moi, Monsieur.

GEORGETTE

Je suis votre servante,

C'est moi.

ALAIN

Sans le respect de Monsieur que voilà,

Je te…

ARNOLPHE, *recevant un coup d'Alain.*

Peste !

ALAIN

Pardon.

ARNOLPHE

Voyez ce lourdaud-là !

ALAIN

C'est elle aussi, Monsieur…

ARNOLPHE

Que tous deux on se taise,

220 Songez à me répondre, et laissons la fadaise[1].

Hé bien, Alain, comment se porte-t-on ici ?

ALAIN

Monsieur, nous nous… Monsieur, nous nous por… Dieu
[merci,

Nous nous…

Arnolphe ôte par trois fois le chapeau de dessus la tête d'Alain.

---

1. *Fadaise* : sottise.

ARNOLPHE

Qui vous apprend, impertinente bête,
À parler devant moi le chapeau sur la tête ?

ALAIN

225 Vous faites bien, j'ai tort.

ARNOLPHE, *à Alain.*

Faites descendre Agnès.

ARNOLPHE, *à Georgette.*

Lorsque je m'en allai, fut-elle triste après ?

GEORGETTE

Triste ? Non.

ARNOLPHE

Non ?

GEORGETTE

Si fait [1].

ARNOLPHE

Pourquoi donc… ?

GEORGETTE

Oui, je meure [2],

Elle vous croyait voir de retour à toute heure ;
Et nous n'oyions jamais passer devant chez nous
230 Cheval, âne ou mulet, qu'elle ne prît pour vous.

---

1. *Si fait* : si, bien sûr. \ **2.** *Meure* : forme du subjonctif présent. Sous-entendu : que je meure, si je mens.

Scène III

AGNÈS, ALAIN, GEORGETTE, ARNOLPHE

ARNOLPHE

La besogne [1] à la main ! C'est un bon témoignage.
Hé bien ! Agnès, je suis de retour du voyage :
En êtes-vous bien aise ?

AGNÈS

Oui, Monsieur, Dieu merci.

ARNOLPHE

Et moi de vous revoir je suis bien aise aussi.
235 Vous vous êtes toujours, comme on voit, bien portée ?

AGNÈS

Hors les puces, qui m'ont la nuit inquiétée [2].

ARNOLPHE

Ah ! vous aurez dans peu quelqu'un pour les chasser.

AGNÈS

Vous me ferez plaisir.

ARNOLPHE

Je le puis bien penser.
Que faites-vous donc là ?

AGNÈS

Je me fais des cornettes [3].
240 Vos chemises de nuit et vos coiffes [4] sont faites.

---

1. *La besogne* : l'ouvrage (de couture). \ **2.** *Inquiétée* : interdit le repos. \ **3.** *Cornettes* : bonnets de nuit pour les femmes. \ **4.** *Coiffes* : garnitures intérieures de bonnet de nuit pour les hommes.

ARNOLPHE

Ha ! voilà qui va bien. Allez, montez là-haut :
Ne vous ennuyez point, je reviendrai tantôt,
Et je vous parlerai d'affaires importantes.

Tous étant rentrés.

Héroïnes du temps, Mesdames les savantes,
245 Pousseuses de tendresse et de beaux sentiments [1]
Je défie à la fois tous vos vers, vos romans,
Vos lettres, billets doux, toute votre science
De valoir cette honnête et pudique ignorance.

Scène IV

HORACE, ARNOLPHE

ARNOLPHE

Ce n'est point par le bien [2] qu'il faut être ébloui ;
250 Et pourvu que l'honneur soit… Que vois-je ? Est-ce ?… Oui.
Je me trompe. Nenni. Si fait [3]. Non, c'est lui-même.
Hor…

HORACE

Seigneur Ar…

ARNOLPHE

Horace !

---

1. Arnolphe fait une allusion très critique aux précieuses, femmes qui cultivaient, parfois jusqu'au ridicule, le raffinement des sentiments et la galanterie. Molière s'est moqué de leurs travers dans *Les Précieuses ridicules* (1659). \ 2. *Le bien* : la fortune. \ 3. *Nenni* : non. *Si fait* : si.

HORACE

Arnolphe.

ARNOLPHE

Ah ! joie extrême !

Et depuis quand ici ?

HORACE

Depuis neuf jours.

ARNOLPHE

Vraiment ?

HORACE

Je fus d'abord [1] chez vous, mais inutilement.

ARNOLPHE

255 J'étais à la campagne.

HORACE

Oui, depuis deux journées.

ARNOLPHE

Oh ! comme les enfants croissent en peu d'années !
J'admire de le voir au point où le voilà,
Après que je l'ai vu pas plus grand que cela.

HORACE

Vous voyez.

ARNOLPHE

Mais, de grâce. Oronte votre père,
260 Mon bon et cher ami, que j'estime et révère,
Que fait-il ? que dit-il ? est-il toujours gaillard ?

---

1. *D'abord* : tout de suite.

À tout ce qui le touche, il sait que je prends part :
Nous ne nous sommes vus depuis quatre ans ensemble.

HORACE

Ni, qui plus est, écrit l'un à l'autre, me semble.
265 Il est, Seigneur Arnolphe, encor plus gai que nous,
Et j'avais de sa part une lettre pour vous ;
Mais depuis, par une autre, il m'apprend sa venue,
Et la raison encor ne m'en est pas connue.
Savez-vous qui peut être un de vos citoyens [1]
270 Qui retourne en ces lieux avec beaucoup de biens
Qu'il s'est en quatorze ans acquis dans l'Amérique ?

ARNOLPHE

Non. Vous a-t-on point dit comme [2] on le nomme ?

HORACE

Enrique.

ARNOLPHE

Non.

HORACE

Mon père m'en parle, et qu'il est revenu [3]
Comme s'il devait m'être entièrement connu,
275 Et m'écrit qu'en chemin ensemble ils se vont mettre
Pour un fait important que ne dit point sa lettre.

ARNOLPHE

J'aurai certainement grande joie à le voir,
Et pour le régaler je ferai mon pouvoir [4].

---

1. *Citoyens* : concitoyens. \ 2. *Comme* : comment. \ 3. Sous-entendu : [dit] qu'il est revenu. \ 4. *Mon pouvoir* : tout mon possible.

Après avoir lu la lettre.

Il faut pour des amis des lettres moins civiles[1],
280 Et tous ces compliments sont choses inutiles.
Sans qu'il prît le souci de m'en écrire rien,
Vous pouvez librement disposer de mon bien.

HORACE

Je suis homme à saisir les gens par leurs paroles,
Et j'ai présentement besoin de cent pistoles[2].

ARNOLPHE

285 Ma foi, c'est m'obliger que d'en user ainsi,
Et je me réjouis de les avoir ici.
Gardez aussi la bourse.

HORACE
Il faut...

ARNOLPHE
                    Laissons ce style.
Hé bien ! comment encor trouvez-vous cette ville ?

HORACE

Nombreuse en citoyens, superbe en bâtiments ;
290 Et j'en crois merveilleux les divertissements.

ARNOLPHE

Chacun a ses plaisirs qu'il se fait à sa guise ;
Mais pour ceux que du nom de galants on baptise,
Ils ont en ce pays de quoi se contenter,
Car les femmes y sont faites à coqueter[3] :

---

1. *Civiles* : polies. \ **2.** *Pistole* : monnaie d'or espagnole, qui circulait en France. Horace demande à Arnolphe une somme importante. \ **3.** *Faites à coqueter* : faites pour la galanterie.

295 On trouve d'humeur douce et la brune et la blonde,
  Et les maris aussi les plus bénins [1] du monde ;
  C'est un plaisir de prince ; et des tours que je vois
  Je me donne souvent la comédie à moi.
  Peut-être en avez-vous déjà féru [2] quelqu'une.
300 Vous est-il point encore arrivé de fortune [3] ?
  Les gens faits comme vous font plus que les écus,
  Et vous êtes de taille à faire des cocus.

HORACE

À ne vous rien cacher de la vérité pure,
J'ai d'amour en ces lieux eu certaine aventure,
305 Et l'amitié m'oblige à vous en faire part.

ARNOLPHE

Bon ! voici de nouveau quelque conte gaillard ;
Et ce sera de quoi mettre sur mes tablettes.

HORACE

Mais, de grâce, qu'au moins ces choses soient secrètes.

ARNOLPHE

Oh !

HORACE

Vous n'ignorez pas qu'en ces occasions
310 Un secret éventé rompt nos prétentions.
  Je vous avouerai donc avec pleine franchise
  Qu'ici d'une beauté mon âme s'est éprise.
  Mes petits soins d'abord ont eu tant de succès,
  Que je me suis chez elle ouvert un doux accès ;

---

1. *Bénins* : bienveillants, excessivement indulgents (avec une nuance ironique). \ 2. *Féru* : blessé d'amour (style burlesque). \ 3. *Fortune* : bonne fortune amoureuse.

315 Et sans trop me vanter ni lui faire une injure,
Mes affaires y sont en fort bonne posture.

ARNOLPHE, *riant.*

Et c'est ?

HORACE, *lui montrant le logis d'Agnès.*

Un jeune objet [1] qui loge en ce logis
Dont vous voyez d'ici que les murs sont rougis ;
Simple, à la vérité, par l'erreur sans seconde [2]
320 D'un homme qui la cache au commerce [3] du monde,
Mais qui, dans l'ignorance où l'on veut l'asservir,
Fait briller des attraits capables de ravir ;
Un air tout engageant, je ne sais quoi de tendre,
Dont il n'est point de cœur qui se puisse défendre.
325 Mais peut-être il n'est pas que vous n'ayez bien vu
Ce jeune astre d'amour de tant d'attraits pourvu :
C'est Agnès qu'on l'appelle.

ARNOLPHE, *à part.*

Ah ! je crève !

HORACE

Pour l'homme,

C'est, je crois, de la Zousse ou Source qu'on le nomme :
Je ne me suis pas fort arrêté sur le nom ;
330 Riche, à ce qu'on m'a dit, mais des plus sensés, non ;
Et l'on m'en a parlé comme d'un ridicule.
Le connaissez-vous point ?

---

1. *Objet* : objet d'amour, femme aimée. \ **2.** *Sans seconde* : sans pareille, sans équivalent. \ **3.** *Commerce* : le sens de « relation économique » a donné, par extension, celui de « relation humaine ».

ARNOLPHE, *à part.*
La fâcheuse pilule !

HORACE

Eh ! vous ne dites mot ?

ARNOLPHE
Eh ! oui, je le connois.

HORACE

C'est un fou, n'est-ce pas ?

ARNOLPHE
Eh…

HORACE

Qu'en dites-vous ? quoi ?

335 Eh ? c'est-à-dire oui ? Jaloux à faire rire ?
Sot ? Je vois qu'il en est ce que l'on m'a pu dire.
Enfin l'aimable Agnès a su m'assujettir[1]
C'est un joli bijou, pour ne vous point mentir ;
Et ce serait péché qu'une beauté si rare
340 Fût laissée au pouvoir de cet homme bizarre[2].
Pour moi, tous mes efforts, tous mes vœux les plus doux
Vont à m'en rendre maître en dépit du jaloux ;
Et l'argent que de vous j'emprunte avec franchise
N'est que pour mettre à bout[3] cette juste entreprise.
345 Vous savez mieux que moi, quels que soient nos efforts,
Que l'argent est la clef de tous les grands ressorts,
Et que ce doux métal qui frappe tant de têtes,

---

1. *M'assujettir* : vocabulaire de la galanterie amoureuse, qui fait de l'homme un sujet soumis au pouvoir de séduction de la femme aimée. \ 2. *Bizarre* : extravagant. \ 3. *Mettre à bout* : mener à bien.

En amour, comme en guerre, avance les conquêtes.
Vous me semblez chagrin[1] : serait-ce qu'en effet
350 Vous désapprouveriez le dessein que j'ai fait ?

ARNOLPHE

Non, c'est que je songeais…

HORACE

               Cet entretien vous lasse
Adieu. J'irai chez vous tantôt vous rendre grâce.

ARNOLPHE

Ah ! faut-il… !

HORACE, *revenant.*

          Derechef[2], veuillez être discret,
Et n'allez pas, de grâce, éventer mon secret.

ARNOLPHE

355 Que je sens dans mon âme… !

HORACE, *revenant.*

             Et surtout à mon père,
Qui s'en ferait peut-être un sujet de colère.

ARNOLPHE, *croyant qu'il revient encore.*

Oh !… Oh ! que j'ai souffert durant cet entretien !
Jamais trouble d'esprit ne fut égal au mien.
Avec quelle imprudence et quelle hâte extrême
360 Il m'est venu conter cette affaire à moi-même !
Bien que mon autre nom le tienne dans l'erreur,
Étourdi montra-t-il jamais tant de fureur[3] ?
Mais ayant tant souffert, je devais[4] me contraindre

---

1. *Chagrin* : contrarié. \ **2.** *Derechef* : de nouveau. \ **3.** *Fureur* : folie amoureuse. \ **4.** *Je devais* : j'aurais dû.

Jusques à m'éclaircir de ce que je dois craindre,
365 À pousser jusqu'au bout son caquet indiscret,
Et savoir pleinement leur commerce secret.
Tâchons à le rejoindre : il n'est pas loin, je pense.
Tirons-en de ce fait l'entière confidence.
Je tremble du malheur qui m'en peut arriver,
370 Et l'on cherche souvent plus qu'on ne veut trouver.

Acte II

Scène première

ARNOLPHE

Il m'est, lorsque j'y pense, avantageux sans doute [1]
D'avoir perdu mes pas [2] et pu manquer sa route ;
Car enfin de mon cœur le trouble impérieux
N'eût pu se renfermer tout entier à ses yeux :
375 Il eût fait éclater l'ennui [3] qui me dévore,
Et je ne voudrais pas qu'il sût ce qu'il ignore.
Mais je ne suis pas homme à gober le morceau,
Et laisser un champ libre aux vœux du damoiseau :
J'en veux rompre le cours et, sans tarder, apprendre
380 Jusqu'où l'intelligence [4] entre eux a pu s'étendre.
J'y prends pour mon honneur un notable intérêt :
Je la regarde en femme, aux termes qu'elle en est [5] ;
Elle n'a pu faillir sans me couvrir de honte,
Et tout ce qu'elle a fait enfin est sur mon compte.
385 Éloignement fatal ! voyage malheureux !

Frappant à la porte.

---

1. *Sans doute* : sans aucun doute. \ 2. *D'avoir perdu mes pas* : d'avoir cherché en vain à rejoindre Horace. \ 3. *Ennui* : tourment (sens fort). \ 4. *Intelligence* : complicité. \ 5. *Aux termes qu'elle en est* : au point où elle en est.

Scène II

ALAIN, GEORGETTE, ARNOLPHE

ALAIN

Ah! Monsieur, cette fois…

ARNOLPHE

     Paix. Venez çà tous deux.
Passez là, passez là. Venez là, venez dis-je.

GEORGETTE

Ah! vous me faites peur, et tout mon sang se fige.

ARNOLPHE

C'est donc ainsi qu'absent vous m'avez obéi?
390 Et tous deux de concert vous m'avez donc trahi?

GEORGETTE

Eh! ne me mangez pas, Monsieur, je vous conjure.

ALAIN, *à part.*

Quelque chien enragé l'a mordu, je m'assure[1].

ARNOLPHE

Ouf! Je ne puis parler, tant je suis prévenu[2]:
Je suffoque, et voudrais me pouvoir mettre nu.
395 Vous avez donc souffert, ô canaille maudite,
Qu'un homme soit venu?… Tu veux prendre la fuite!
Il faut que sur-le-champ… Si tu bouges…! Je veux
Que vous me disiez… Euh! Oui, je veux que tous deux…
Quiconque remûra, par la mort[3]! je l'assomme.

---

1. *Je m'assure*: j'en suis sûr. \ **2.** *Tant je suis prévenu*: tant j'ai de crainte. \ **3.** *Par la mort*: par la mort [de Dieu]. Atténuation destinée à éviter le blasphème.

400 Comme[1] est-ce que chez moi s'est introduit cet homme ?
Eh ! parlez, dépêchez, vite, promptement, tôt,
Sans rêver. Veut-on dire ?

ALAIN ET GEORGETTE
Ah ! Ah !

GEORGETTE
Le cœur me faut[2].

ALAIN
Je meurs.

ARNOLPHE
Je suis en eau : prenons un peu d'haleine ;
Il faut que je m'évente, et que je me promène.
405 Aurais-je deviné quand je l'ai vu petit
Qu'il croîtrait pour cela ? Ciel ! que mon cœur pâtit !
Je pense qu'il vaut mieux que de sa propre bouche[3]
Je tire avec douceur l'affaire qui me touche.
Tâchons de modérer notre ressentiment.
410 Patience, mon cœur, doucement, doucement.
Levez-vous, et rentrant, faites qu'Agnès descende.
Arrêtez. Sa surprise en deviendrait moins grande :
Du chagrin qui me trouble ils iraient l'avertir,
Et moi-même je veux l'aller faire sortir.
415 Que l'on m'attende ici.

---

1. *Comme* : comment. \ 2. *Faut* : manque. Georgette prétend être en train de défaillir. \ 3. De la bouche d'Agnès.

Scène III

ALAIN, GEORGETTE

GEORGETTE

Mon Dieu ! qu'il est terrible !
Ses regards m'ont fait peur, mais une peur horrible !
Et jamais je ne vis un plus hideux chrétien.

ALAIN

Ce Monsieur l'a fâché : je te le disais bien.

GEORGETTE

Mais que diantre [1] est-ce là, qu'avec tant de rudesse
420 Il nous fait au logis garder notre maîtresse ?
D'où vient qu'à tout le monde il veut tant la cacher.
Et qu'il ne saurait voir personne en approcher ?

ALAIN

C'est que cette action le met en jalousie.

GEORGETTE

Mais d'où vient qu'il est pris de cette fantaisie ?

ALAIN

425 Cela vient… cela vient de ce qu'il est jaloux.

GEORGETTE

Oui ; mais pourquoi l'est-il ? et pourquoi ce courroux ?

ALAIN

C'est que la jalousie… entends-tu bien, Georgette,
Est une chose… là… qui fait qu'on s'inquiète…
Et qui chasse les gens d'autour d'une maison.

---

1. *Diantre* : atténuation familière de « diable ».

430 Je m'en vais te bailler[1] une comparaison,
Afin de concevoir la chose davantage[2].
Dis-moi, n'est-il pas vrai, quand tu tiens ton potage,
Que si quelque affamé venait pour en manger,
Tu serais en colère, et voudrais le charger[3] ?

GEORGETTE

435 Oui, je comprends cela.

ALAIN

C'est justement tout comme :
La femme est en effet le potage de l'homme ;
Et quand un homme voit d'autres hommes parfois
Qui veulent dans sa soupe aller tremper leurs doigts,
Il en montre aussitôt une colère extrême.

GEORGETTE

440 Oui ; mais pourquoi chacun n'en fait-il pas de même,
Et que nous en voyons qui paraissent joyeux
Lorsque leurs femmes sont avec les biaux Monsieux[4].

ALAIN

C'est que chacun n'a pas cette amitié goulue[5]
Qui n'en veut que pour soi.

GEORGETTE

Si je n'ai la berlue,
445 Je le vois qui revient.

---

1. *Bailler* : proposer. \ **2.** *Afin de concevoir la chose davantage* : pour que tu te représentes mieux le problème. \ **3.** *Charger* : accuser, attaquer. \ **4.** *Biaux Monsieux* : beaux messieurs (pluriel populaire). \ **5.** *Amitié goulue* : amour possessif. Le sens d'*amitié* au XVIIe siècle n'excluait pas nécessairement la dimension érotique de la relation.

ALAIN

Tes yeux sont bons, c'est lui.

GEORGETTE

Vois comme il est chagrin.

ALAIN

C'est qu'il a de l'ennui.

Scène IV

ARNOLPHE, AGNÈS, ALAIN, GEORGETTE

ARNOLPHE

Un certain Grec disait à l'empereur Auguste,
Comme une instruction utile autant que juste[1],
Que lorsqu'une aventure en colère nous met,
450 Nous devons, avant tout, dire notre alphabet,
Afin que dans ce temps la bile[2] se tempère,
Et qu'on ne fasse rien que l'on ne doive faire.
J'ai suivi sa leçon sur le sujet d'Agnès,
Et je la fais venir en ce lieu tout exprès,
455 Sous prétexte d'y faire un tour de promenade,
Afin que les soupçons de mon esprit malade
Puissent sur le discours la mettre adroitement,
Et lui sondant le cœur s'éclaircir doucement.
Venez, Agnès. Rentrez[3].

---

1. Ce conseil est tiré des œuvres morales de Plutarque. \ **2.** *Bile* : colère. Dans la théorie des humeurs, sur laquelle se fonde encore la médecine du XVIIe siècle, la « bile jaune » est à l'origine d'un tempérament colérique et la « bile noire », de la mélancolie. \ **3.** Cet ordre s'adresse à Alain et à Georgette.

Scène V

ARNOLPHE, AGNÈS

ARNOLPHE
La promenade est belle.

AGNÈS
460 Fort belle.

ARNOLPHE
Le beau jour !

AGNÈS
Fort beau.

ARNOLPHE
Quelle nouvelle ?

AGNÈS
Le petit chat est mort.

ARNOLPHE
C'est dommage ; mais quoi ?
Nous sommes tous mortels, et chacun est pour soi.
Lorsque j'étais aux champs, n'a-t-il point fait de pluie ?

AGNÈS
Non.

ARNOLPHE
Vous ennuyait-il [1] ?

AGNÈS
Jamais je ne m'ennuie.

---

1. *Vous ennuyait-il ?* (tournure impersonnelle) : Vous êtes-vous ennuyée ?

ARNOLPHE

465 Qu'avez-vous fait encor ces neuf ou dix jours-ci ?

AGNÈS

Six chemises, je pense, et six coiffes aussi.

ARNOLPHE, *ayant un peu rêvé.*

Le monde, chère Agnès, est une étrange chose.
Voyez la médisance, et comme chacun cause :
Quelques voisins m'ont dit qu'un jeune homme inconnu
470 Était en mon absence à la maison venu,
Que vous aviez souffert sa vue et ses harangues [1] ;
Mais je n'ai point pris foi sur ces méchantes langues,
Et j'ai voulu gager que c'était faussement…

AGNÈS

Mon Dieu, ne gagez pas [2] : vous perdriez vraiment.

ARNOLPHE

475 Quoi ? c'est la vérité qu'un homme… ?

AGNÈS

                                        Chose sûre.
Il n'a presque bougé de chez nous, je vous jure.

ARNOLPHE, *à part.*

Cet aveu qu'elle fait avec sincérité
Me marque pour le moins son ingénuité.
Mais il me semble, Agnès, si ma mémoire est bonne,
480 Que j'avais défendu que vous vissiez personne.

---

1. *Harangues* : discours longs, pompeux et ennuyeux (avec une connotation péjorative).
\ 2. *Gagez* : pariez.

AGNÈS

Oui ; mais quand je l'ai vu, vous ignorez pourquoi ;
Et vous en auriez fait, sans doute, autant que moi.

ARNOLPHE

Peut-être. Mais enfin contez-moi cette histoire.

AGNÈS

Elle est fort étonnante, et difficile à croire.
485 J'étais sur le balcon à travailler au frais,
Lorsque je vis passer sous les arbres d'auprès
Un jeune homme bien fait, qui, rencontrant ma vue,
D'une humble révérence aussitôt me salue :
Moi pour ne point manquer à la civilité[1],
490 Je fis la révérence aussi de mon côté.
Soudain il me refait une autre révérence :
Moi, j'en refais de même une autre en diligence[2] ;
Et lui d'une troisième aussitôt repartant[3],
D'une troisième aussi j'y repars à l'instant.
495 Il passe, vient, repasse, et toujours de plus belle
Me fait à chaque fois révérence nouvelle ;
Et moi, qui tous ces tours fixement regardais,
Nouvelle révérence aussi je lui rendais :
Tant que, si sur ce point[4] la nuit ne fût venue,
500 Toujours comme cela je me serais tenue,
Ne voulant point céder, et recevoir l'ennui
Qu'il me pût estimer moins civile que lui.

ARNOLPHE

Fort bien.

---

1. *Civilité* : politesse. \ **2.** *En diligence* : au plus vite. \ **3.** *Repartant* : répondant. \ **4.** *Sur ce point* : à ce moment.

AGNÈS

Le lendemain, étant sur notre porte,
Une vieille m'aborde, en parlant de la sorte :
505 « Mon enfant, le bon Dieu puisse-t-il vous bénir,
Et dans tous vos attraits longtemps vous maintenir !
Il ne vous a pas faite une belle personne
Afin de mal user des choses qu'il vous donne ;
Et vous devez savoir que vous avez blessé
510 Un cœur qui de s'en plaindre est aujourd'hui forcé. »

ARNOLPHE, *à part.*

Ah ! suppôt [1] de Satan ! exécrable damnée !

AGNÈS

« Moi, j'ai blessé quelqu'un ! fis-je toute étonnée.
— Oui, dit-elle, blessé, mais blessé tout de bon ;
Et c'est l'homme qu'hier vous vîtes du balcon.
515 — Hélas ! qui [2] pourrait, dis-je, en avoir été cause ?
Sur lui, sans y penser, fis-je choir quelque chose ?
— Non, dit-elle, vos yeux ont fait ce coup fatal,
Et c'est de leurs regards qu'est venu tout son mal.
— Hé ! mon Dieu ! ma surprise est, fis-je, sans seconde :
520 Mes yeux ont-ils du mal, pour en donner au monde ?
— Oui, fit-elle, vos yeux, pour causer le trépas,
Ma fille, ont un venin que vous ne savez pas.
En un mot, il languit, le pauvre misérable ;
Et s'il faut, poursuivit la vieille charitable,
525 Que votre cruauté lui refuse un secours,
C'est un homme à porter en terre dans deux jours.

---

1. *Suppôt* : serviteur. \ 2. *Qui* : qu'est-ce qui.

— Mon Dieu ! j'en aurais, dis-je, une douleur bien grande.
Mais pour le secourir qu'est-ce qu'il me demande ?
— Mon enfant, me dit-elle, il ne veut obtenir
530 Que le bien de vous voir et vous entretenir[1] :
Vos yeux peuvent eux seuls empêcher sa ruine
Et du mal qu'ils ont fait être la médecine[2].
— Hélas ! volontiers, dis-je ; et puisqu'il est ainsi,
Il peut, tant qu'il voudra, me venir voir ici. »

ARNOLPHE, *à part.*

535 Ah ! sorcière maudite, empoisonneuse d'âmes,
Puisse l'enfer payer tes charitables trames !

AGNÈS

Voilà comme il me vit, et reçut guérison.
Vous-même, à votre avis, n'ai-je pas eu raison ?
Et pouvais-je, après tout, avoir la conscience
540 De le laisser mourir[3] faute d'une assistance,
Moi qui compatis tant aux gens qu'on fait souffrir
Et ne puis, sans pleurer, voir un poulet mourir ?

ARNOLPHE, *bas.*

Tout cela n'est parti que d'une âme innocente ;
Et j'en dois accuser mon absence imprudente,
545 Qui sans guide a laissé cette bonté de mœurs
Exposée aux aguets des rusés séducteurs.
Je crains que le pendard[4], dans ses vœux téméraires,
Un peu plus fort que jeu n'ait poussé les affaires.

---

1. *Vous entretenir* : vous parler. \ **2.** *Médecine* : remède contre la « ruine » physique et morale qui menacerait Horace, éprouvé par le sentiment amoureux. \ **3.** *Avoir la conscience de le laisser mourir* : le laisser mourir délibérément, en toute connaissance de cause. \ **4.** *Pendard* : personne digne d'être pendue, vaurien.

 AGNÈS

Qu'avez-vous ? Vous grondez, ce me semble, un petit[1] ?
550 Est-ce que c'est mal fait ce que je vous ai dit ?

ARNOLPHE

Non. Mais de cette vue[2] apprenez-moi les suites,
Et comme le jeune homme a passé ses visites.

AGNÈS

Hélas ! si vous saviez comme il était ravi,
Comme il perdit son mal sitôt que je le vis,
555 Le présent qu'il m'a fait d'une belle cassette[3],
Et l'argent qu'en ont eu notre Alain et Georgette,
Vous l'aimeriez sans doute et diriez comme nous…

ARNOLPHE

Oui. Mais que faisait-il étant seul avec vous ?

AGNÈS

Il jurait qu'il m'aimait d'une amour[4] sans seconde,
560 Et me disait des mots les plus gentils du monde,
Des choses que jamais rien ne peut égaler,
Et dont, toutes les fois que je l'entends parler,
La douceur me chatouille et là-dedans remue
Certain je ne sais quoi dont je suis toute émue.

ARNOLPHE, *à part.*

565 Ô fâcheux examen d'un mystère fatal,
Où l'examinateur souffre seul tout le mal !

À Agnès.

Outre tous ces discours, toutes ces gentillesses,

---

1. *Un petit* : un petit peu. \ 2. *Vue* : entrevue. \ 3. *Cassette* : coffret. \ 4. Le mot *amour* peut encore être féminin au XVIIe siècle.

Ne vous faisait-il point aussi quelques caresses ?

AGNÈS

Oh tant ! Il me prenait et les mains et les bras,
570 Et de me les baiser il n'était jamais las.

ARNOLPHE

Ne vous a-t-il point pris, Agnès, quelque autre chose ?

La voyant interdite.

Ouf[1] !

AGNÈS

Hé ! il m'a…

ARNOLPHE

Quoi ?

AGNÈS

Pris…

ARNOLPHE

Euh[2] !

AGNÈS

Le[3]…

ARNOLPHE

Plaît-il ?

AGNÈS

Je n'ose,

Et vous vous fâcherez peut-être contre moi.

---

1. *Ouf* : oh ! \ **2.** *Euh* : interjection interrogative. \ **3.** Ce « le », sur lequel se fonde une plaisante équivoque sexuelle, est à l'origine de bien des reproches adressés à Molière par ses adversaires, dont celui d'obscénité.

ARNOLPHE

Non.

AGNÈS

Si fait.

ARNOLPHE

Mon Dieu, non !

AGNÈS

Jurez donc votre foi [1].

ARNOLPHE

575 Ma foi, soit.

AGNÈS

Il m'a pris… Vous serez en colère.

ARNOLPHE

Non.

AGNÈS

Si.

ARNOLPHE

Non, non, non, non. Diantre, que de mystère !
Qu'est-ce qu'il vous a pris ?

AGNÈS

Il…

ARNOLPHE, *à part.*

Je souffre en damné.

---

1. *Foi* : parole.

AGNÈS

Il m'a pris le ruban que vous m'aviez donné.
À vous dire le vrai, je n'ai pu m'en défendre.

ARNOLPHE, *reprenant haleine.*

580 Passe pour le ruban. Mais je voulais apprendre
S'il ne vous a rien fait que vous baiser les bras.

AGNÈS

Comment ? est-ce qu'on fait d'autres choses ?

ARNOLPHE

Non pas.

Mais pour guérir du mal qu'il dit qui le possède,
N'a-t-il point exigé de vous d'autre remède ?

AGNÈS

585 Non. Vous pouvez juger, s'il en eût demandé,
Que pour le secourir j'aurais tout accordé.

ARNOLPHE

Grâce aux bontés du Ciel, j'en suis quitte à bon compte ;
Si j'y retombe plus, je veux bien qu'on m'affronte.
Chut. De votre innocence, Agnès, c'est un effet.
590 Je ne vous en dis mot : ce qui s'est fait est fait.
Je sais qu'en vous flattant le galant ne désire
Que de vous abuser [1], et puis après s'en rire.

AGNÈS

Oh ! point : il me l'a dit plus de vingt fois à moi.

ARNOLPHE

Ah ! vous ne savez pas ce que c'est que sa foi.

---

1. *Abuser* : tromper.

595 Mais enfin apprenez qu'accepter des cassettes,
Et de ces beaux blondins écouter les sornettes,
Que se laisser par eux, à force de langueur,
Baiser ainsi les mains et chatouiller le cœur,
Est un péché mortel des plus gros qu'il se fasse.

AGNÈS

600 Un péché, dites-vous ? Et la raison, de grâce ?

ARNOLPHE

La raison ? La raison est l'arrêt prononcé
Que par ces actions le Ciel est courroucé.

AGNÈS

Courroucé ! Mais pourquoi faut-il qu'il s'en courrouce ?
C'est une chose, hélas ! si plaisante et si douce !
605 J'admire quelle joie on goûte à tout cela,
Et je ne savais point encor ces choses-là.

ARNOLPHE

Oui, c'est un grand plaisir que toutes ces tendresses,
Ces propos si gentils et ces douces caresses ;
Mais il faut le goûter en toute honnêteté,
610 Et qu'en se mariant le crime [1] en soit ôté.

AGNÈS

N'est-ce plus un péché lorsque l'on se marie ?

ARNOLPHE

Non.

AGNÈS

Mariez-moi donc promptement, je vous prie.

---

1. *Crime* : manquement à la morale, péché.

ARNOLPHE

Si vous le souhaitez, je le souhaite aussi,
Et pour vous marier on me revoit ici.

AGNÈS

615 Est-il possible ?

ARNOLPHE

Oui.

AGNÈS

Que vous me ferez aise [1] !

ARNOLPHE

Oui, je ne doute point que l'hymen ne vous plaise.

AGNÈS

Vous nous voulez, nous deux…

ARNOLPHE

Rien de plus assuré.

AGNÈS

Que, si cela se fait, je vous caresserai !

ARNOLPHE

Hé ! la chose sera de ma part réciproque.

AGNÈS

620 Je ne reconnais point, pour moi, quand on se moque.
Parlez-vous tout de bon ?

ARNOLPHE

Oui, vous le pourrez voir.

---

1. *Aise* : plaisir.

AGNÈS

Nous serons mariés ?

ARNOLPHE

Oui.

AGNÈS

Mais quand ?

ARNOLPHE

Dès ce soir.

AGNÈS, *riant.*

Dès ce soir ?

ARNOLPHE

Dès ce soir. Cela vous fait donc rire ?

AGNÈS

Oui.

ARNOLPHE

Vous voir bien contente est ce que je désire.

AGNÈS

625 Hélas ! que je vous ai grande obligation,
Et qu'avec lui j'aurai de satisfaction !

ARNOLPHE

Avec qui ?

AGNÈS

Avec…, là.

ARNOLPHE

Là… : là n'est pas mon compte.
À choisir un mari vous êtes un peu prompte.

C'est un autre, en un mot, que je vous tiens tout prêt,
630 Et quant au monsieur, là, je prétends, s'il vous plaît,
Dût le mettre au tombeau le mal dont il vous berce[1],
Qu'avec lui désormais vous rompiez tout commerce ;
Que, venant au logis, pour votre compliment
Vous lui fermiez au nez la porte honnêtement,
635 Et lui jetant, s'il heurte, un grès[2] par la fenêtre,
L'obligiez tout de bon à ne plus y paraître.
M'entendez-vous, Agnès ? Moi, caché dans un coin,
De votre procédé je serai le témoin.

AGNÈS

Las[3] ! il est si bien fait. C'est...

ARNOLPHE

Ah ! que de langage[4] !

AGNÈS

640 Je n'aurai pas le cœur...

ARNOLPHE

Point de bruit davantage.
Montez là-haut.

AGNÈS

Mais quoi ? voulez-vous... ?

ARNOLPHE

C'est assez.
Je suis maître, je parle : allez, obéissez[5].

---

1. *Dût le mettre au tombeau le mal dont il vous berce* : même si le mal qu'il prétend ressentir devait le précipiter dans la tombe. \ 2. *Un grès* : un pavé, une pierre. \ 3. *Las* : hélas. \ 4. *Langage* : bavardage (péjoratif). \ 5. Ces deux impératifs renvoient à une réplique de *Sertorius*, de Corneille (1662).

Acte III

Scène première

ARNOLPHE, AGNÈS, ALAIN, GEORGETTE

ARNOLPHE

Oui, tout a bien été, ma joie est sans pareille :
Vous avez là suivi mes ordres à merveille,
645 Confondu de tout point le blondin séducteur,
Et voilà de quoi sert un sage directeur[1].
Votre innocence, Agnès, avait été surprise.
Voyez sans y penser où vous vous étiez mise :
Vous enfiliez tout droit, sans mon instruction[2],
650 Le grand chemin d'enfer et de perdition.
De tous ces damoiseaux on sait trop les coutumes :
Ils ont de beaux canons[3], force rubans et plumes,
Grands cheveux, belles dents, et des propos fort doux ;
Mais, comme je vous dis, la griffe est là-dessous ;
655 Et ce sont vrais Satans, dont la gueule altérée
De l'honneur féminin cherche à faire curée[4].
Mais, encore une fois, grâce au soin apporté,

---

1. *De quoi sert un sage directeur* : à quoi sert un sage directeur de conscience. \ **2.** *Sans mon instruction* : si je ne vous avais pas instruite. \ **3.** *Canons* : ornements attachés aux vêtements. \ **4.** *Curée* : terme de vénerie. Arnolphe identifie les « damoiseaux » à des chiens censés dévorer l'honneur féminin.

Vous en êtes sortie avec honnêteté.

L'air dont je vous ai vu lui jeter cette pierre,

660 Qui de tous ses desseins a mis l'espoir par terre,

Me confirme encor mieux à ne point différer

Les noces où je dis qu'il vous faut préparer.

Mais, avant toute chose, il est bon de vous faire

Quelque petit discours qui vous soit salutaire.

665 Un siège au frais ici. Vous, si jamais en rien…

GEORGETTE

De toutes vos leçons nous nous souviendrons bien.

Cet autre monsieur-là nous en faisait accroire[1] ;

Mais…

ALAIN

S'il entre jamais, je veux jamais ne boire.

Aussi bien est-ce un sot : il nous a l'autre fois

670 Donné deux écus d'or qui n'étaient pas de poids[2].

ARNOLPHE

Ayez donc pour souper tout ce que je désire ;

Et pour notre contrat, comme je viens de dire.

Faites venir ici, l'un ou l'autre, au retour,

Le notaire qui loge au coin de ce carfour[3].

---

1. *Faisait accroire* : faisait croire (quelque chose de faux), nous trompait. \ **2.** *Qui n'étaient pas de poids* : qui n'avaient pas le poids légal, qui avaient moins de valeur. \ **3.** *Carfour* : carrefour.

Scène II

ARNOLPHE, AGNÈS

ARNOLPHE, *assis.*

675 Agnès, pour m'écouter, laissez là votre ouvrage.
Levez un peu la tête et tournez le visage :
Là, regardez-moi là durant cet entretien,
Et jusqu'au moindre mot imprimez-le-vous bien.
Je vous épouse, Agnès ; et cent fois la journée
680 Vous devez bénir l'heur [1] de votre destinée,
Contempler la bassesse [2] où vous avez été,
Et dans le même temps admirer ma bonté,
Qui de ce vil état de pauvre villageoise
Vous fait monter au rang d'honorable bourgeoise
685 Et jouir de la couche et des embrassements
D'un homme qui fuyait tous ces engagements,
Et dont à vingt partis, fort capables de plaire,
Le cœur a refusé l'honneur qu'il vous veut faire.
Vous devez toujours, dis-je, avoir devant les yeux
690 Le peu que vous étiez sans ce nœud [3] glorieux,
Afin que cet objet d'autant mieux vous instruise
À mériter l'état où je vous aurai mise,
À toujours vous connaître, et faire qu'à jamais
Je puisse me louer de l'acte que je fais.
695 Le mariage, Agnès, n'est pas un badinage :
À d'austères devoirs le rang de femme engage,
Et vous n'y montez pas, à ce que je prétends,

---

1. *Heur* : chance. \ 2. *Bassesse* : basse condition. \ 3. *Nœud* : lien du mariage.

Pour être libertine [1] et prendre du bon temps.

Votre sexe n'est là que pour la dépendance :

700   Du côté de la barbe est la toute-puissance.

Bien qu'on soit deux moitiés de la société,

Ces deux moitiés pourtant n'ont point d'égalité :

L'une est moitié suprême et l'autre subalterne ;

L'une en tout est soumise à l'autre qui gouverne ;

705   Et ce que le soldat, dans son devoir instruit,

Montre d'obéissance au chef qui le conduit,

Le valet à son maître, un enfant à son père,

À son supérieur le moindre petit Frère [2],

N'approche point encor de la docilité,

710   Et de l'obéissance, et de l'humilité,

Et du profond respect où la femme doit être

Pour son mari, son chef, son seigneur et son maître.

Lorsqu'il jette sur elle un regard sérieux,

Son devoir aussitôt est de baisser les yeux,

715   Et de n'oser jamais le regarder en face

Que quand d'un doux regard il lui veut faire grâce.

C'est ce qu'entendent [3] mal les femmes d'aujourd'hui ;

Mais ne vous gâtez pas sur l'exemple d'autrui.

Gardez-vous d'imiter ces coquettes vilaines

720   Dont par toute la ville on chante les fredaines,

Et de vous laisser prendre aux assauts du malin [4],

C'est-à-dire d'ouïr aucun jeune blondin.

Songez qu'en vous faisant moitié de ma personne,

C'est mon honneur, Agnès, que je vous abandonne ;

---

1 *Pour être libertine* : pour vous affranchir des règles, pour être indisciplinée. \ **2.** *Petit Frère* : religieux subalterne (novice ou convers), par opposition au *supérieur*. \ **3.** *Entendent* : comprennent. \ **4.** *Malin* : diable.

725 Que cet honneur est tendre et se blesse de peu ;
Que sur un tel sujet il ne faut point de jeu ;
Et qu'il est aux enfers des chaudières bouillantes
Où l'on plonge à jamais les femmes mal vivantes.
Ce que je vous dis là ne sont pas des chansons [1] ;
730 Et vous devez du cœur dévorer ces leçons.
Si votre âme les suit, et fuit d'être coquette,
Elle sera toujours, comme un lis, blanche et nette ;
Mais s'il faut qu'à l'honneur elle fasse un faux bond,
Elle deviendra lors noire comme un charbon ;
735 Vous paraîtrez à tous un objet effroyable,
Et vous irez un jour, vrai partage du diable,
Bouillir dans les enfers à toute éternité :
Dont vous veuille garder la céleste bonté !
Faites la révérence. Ainsi qu'une novice
740 Par cœur dans le couvent doit savoir son office [2],
Entrant au mariage il en faut faire autant ;
Et voici dans ma poche un écrit important

Il se lève.

Qui vous enseignera l'office de la femme.
J'en ignore l'auteur, mais c'est quelque bonne âme ;
745 Et je veux que ce soit votre unique entretien.
Tenez. Voyons un peu si vous le lirez bien.

AGNÈS *lit.*

LES MAXIMES DU MARIAGE
OU LES DEVOIRS DE LA FEMME MARIÉE
AVEC SON EXERCICE JOURNALIER [3].

---

1. *Chansons* : sornettes, paroles en l'air (péjoratif). \ 2. *Savoir son office* : accomplir son devoir de religieuse. \ 3. Ces maximes sont imitées des très nombreux ouvrages de direction morale publiés à l'époque (en particulier des *Préceptes de Mariage envoyés à Olympia*, traduits par Desmarets de Saint Sorlin).

Ire MAXIME

Celle qu'un lien honnête
Fait entrer au lit d'autrui,
Doit se mettre dans la tête,
750   Malgré le train[1] d'aujourd'hui,
Que l'homme qui la prend, ne la prend que pour lui.

ARNOLPHE

Je vous expliquerai ce que cela veut dire ;
Mais pour l'heure présente il ne faut rien que lire.

AGNÈS *poursuit.*

IIe MAXIME

Elle ne se doit parer
755   Qu'autant que peut désirer
Le mari qui la possède :
C'est lui que touche seul le soin de sa beauté ;
Et pour rien doit être compté
Que les autres la trouvent laide.

IIIe MAXIME

760   Loin ces études d'œillades,
Ces eaux, ces blancs[2], ces pommades,
Et mille ingrédients qui font des teints fleuris :
À l'honneur tous les jours ce sont drogues mortelles ;
Et les soins de paraître belles
765   Se prennent peu pour les maris.

IVe MAXIME

Sous sa coiffe, en sortant, comme l'honneur l'ordonne
Il faut que de ses yeux elle étouffe les coups,

---

1. *Train* : mode de vie. \ 2. *Blancs* : fards.

Car pour bien plaire à son époux,
Elle ne doit plaire à personne.

Vᵉ MAXIME

770 Hors ceux dont au mari la visite se rend,
La bonne règle défend
De recevoir aucune âme :
Ceux qui, de galante humeur,
N'ont affaire qu'à Madame,
775 N'accommodent pas Monsieur [1].

VIᵉ MAXIME

Il faut des présents des hommes
Qu'elle se défende bien ;
Car dans le siècle où nous sommes,
On ne donne rien pour rien.

VIIᵉ MAXIME

780 Dans ses meubles, dût-elle en avoir de l'ennui,
Il ne faut écritoire [2], encre, papier, ni plumes :
Le mari doit, dans les bonnes coutumes,
Écrire tout ce qui s'écrit chez lui.

VIIIᵉ MAXIME

Ces sociétés déréglées
785 Qu'on nomme belles assemblées
Des femmes tous les jours corrompent les esprits :
En bonne politique on les doit interdire ;
Car c'est là que l'on conspire
Contre les pauvres maris.

---

1. *N'accommodent pas* : ne plaisent pas à. \ **2.** *Écritoire* : étui contenant ce qui est nécessaire pour écrire.

IXᵉ MAXIME

790 Toute femme qui veut à l'honneur se vouer
Doit se défendre de jouer,
Comme d'une chose funeste :
Car le jeu, fort décevant,
Pousse une femme souvent
795 À jouer de tout son reste [1].

Xᵉ MAXIME

Des promenades du temps,
Ou repas qu'on donne aux champs,
Il ne faut point qu'elle essaye [2] :
Selon les prudents cerveaux,
800 Le mari, dans ces cadeaux [3],
Est toujours celui qui paye.

XIᵉ MAXIME...

ARNOLPHE

Vous achèverez seule ; et pas à pas, tantôt
Je vous expliquerai ces choses comme il faut,
Je me suis souvenu d'une petite affaire :
805 Je n'ai qu'un mot à dire, et ne tarderai guère.
Rentrez, et conservez ce livre chèrement.
Si le notaire vient, qu'il m'attende un moment.

---

1. *De tout son reste* : à tout risquer. \ **2.** *Essaye* : goûte. \ **3.** *Cadeaux* : divertissements que l'on propose aux dames.

Scène III

ARNOLPHE

Je ne puis faire mieux que d'en faire ma femme.
Ainsi que je voudrai, je tournerai cette âme ;
810 Comme un morceau de cire entre mes mains elle est,
Et je lui puis donner la forme qui me plaît.
Il s'en est peu fallu que, durant mon absence,
On ne m'ait attrapé par son trop d'innocence ;
Mais il vaut beaucoup mieux, à dire vérité,
815 Que la femme qu'on a pèche de ce côté.
De ces sortes d'erreurs le remède est facile :
Toute personne simple aux leçons est docile ;
Et si du bon chemin on l'a fait écarter,
Deux mots incontinent [1] l'y peuvent rejeter.
820 Mais une femme habile est bien une autre bête ;
Notre sort ne dépend que de sa seule tête ;
De ce qu'elle s'y met rien ne la fait gauchir [2],
Et nos enseignements ne font là que blanchir [3] :
Son bel esprit lui sert à railler nos maximes,
825 À se faire souvent des vertus de ses crimes,
Et trouver, pour venir à ses coupables fins,
Des détours à duper l'adresse des plus fins.
Pour se parer [4] du coup en vain on se fatigue :
Une femme d'esprit est un diable en intrigue ;
830 Et dès que son caprice a prononcé tout bas
L'arrêt [5] de notre honneur, il faut passer le pas :

---

1. *Incontinent* : aussitôt. \ 2. *Rien ne la fait gauchir* : rien ne la détourne. \ 3. *Blanchir* : effleurer son esprit, sans le toucher réellement (en ne laissant qu'une marque blanche). \ 4. *Se parer* : se protéger. \ 5. *L'arrêt* : la condamnation.

Beaucoup d'honnêtes gens en pourraient bien que dire [1].
Enfin, mon étourdi n'aura pas lieu d'en rire.
Par son trop de caquet il a ce qu'il lui faut.
835 Voilà de nos Français l'ordinaire défaut :
Dans la possession d'une bonne fortune,
Le secret est toujours ce qui les importune ;
Et la vanité sotte a pour eux tant d'appas,
Qu'ils se pendraient plutôt que de ne causer pas.
840 Oh ! que les femmes sont du diable bien tentées,
Lorsqu'elles vont choisir ces têtes éventées [2],
Et que… ! Mais le voici… Cachons-nous toujours bien
Et découvrons un peu quel chagrin est le sien.

Scène IV

HORACE, ARNOLPHE

HORACE

Je reviens de chez vous, et le destin me montre
845 Qu'il n'a pas résolu que je vous y rencontre.
Mais j'irai tant de fois, qu'enfin quelque moment…

ARNOLPHE

Hé ! mon Dieu, n'entrons point dans ce vain compliment :
Rien ne me fâche tant que ces cérémonies ;
Et si l'on m'en croyait, elles seraient bannies.
850 C'est un maudit usage ; et la plupart des gens
Y perdent sottement les deux tiers de leur temps.

---

1. *Pourraient bien que dire* : pourraient bien en parler. \ 2. *Éventées* : étourdies.

Mettons donc sans façons [1]. Hé bien ! vos amourettes ?
Puis-je, seigneur Horace, apprendre où vous en êtes ?
J'étais tantôt distrait par quelque vision ;
855 Mais depuis là-dessus j'ai fait réflexion :
De vos premiers progrès j'admire la vitesse,
Et dans l'événement mon âme s'intéresse.

HORACE

Ma foi, depuis qu'à vous s'est découvert mon cœur,
Il est à mon amour arrivé du malheur.

ARNOLPHE

860 Oh ! oh ! comment cela ?

HORACE

La fortune cruelle
A ramené des champs le patron de la belle.

ARNOLPHE

Quel malheur !

HORACE

Et de plus, à mon très grand regret,
Il a su de nous deux le commerce secret.

ARNOLPHE

D'où, diantre, a-t-il sitôt appris cette aventure ?

HORACE

865 Je ne sais ; mais enfin c'est une chose sûre.
Je pensais aller rendre, à mon heure à peu près,
Ma petite visite à ses jeunes attraits,
Lorsque, changeant pour moi de ton et de visage,

---

1. *Mettons donc sans façons* [nos chapeaux].

Et servante et valet m'ont bouché le passage,
870 Et d'un « Retirez-vous, vous nous importunez »,
M'ont assez rudement fermé la porte au nez.

ARNOLPHE

La porte au nez !

HORACE

Au nez.

ARNOLPHE

La chose est un peu forte.

HORACE

J'ai voulu leur parler au travers de la porte ;
Mais à tous mes propos ce qu'ils ont répondu
875 C'est : « Vous n'entrerez point, Monsieur l'a défendu. »

ARNOLPHE

Ils n'ont donc point ouvert ?

HORACE

Non. Et de la fenêtre
Agnès m'a confirmé le retour de ce maître,
En me chassant de là d'un ton plein de fierté[1],
Accompagné d'un grès que sa main a jeté.

ARNOLPHE

880 Comment d'un grès ?

HORACE

D'un grès de taille non petite,
Dont on a par ses mains régalé[2] ma visite.

---

1. *D'un ton plein de fierté* : d'un ton très hautain, voire cruel. \ 2. *Régalé* : fêté.

ARNOLPHE

Diantre ! ce ne sont pas des prunes que cela !
Et je trouve fâcheux l'état où vous voilà.

HORACE

Il est vrai, je suis mal par ce retour funeste.

ARNOLPHE

885 Certes, j'en suis fâché pour vous, je vous proteste [1].

HORACE

Cet homme me rompt tout [2].

ARNOLPHE

          Oui. Mais cela n'est rien,
Et de vous raccrocher vous trouverez moyen.

HORACE

Il faut bien essayer, par quelque intelligence,
De vaincre du jaloux l'exacte vigilance.

ARNOLPHE

890 Cela vous est facile. Et la fille, après tout,
Vous aime.

HORACE

    Assurément.

ARNOLPHE

        Vous en viendrez à bout.

HORACE

Je l'espère.

---

1. *Je vous proteste* : je vous assure. \ **2.** *Me rompt tout* : brise tous mes projets.

ARNOLPHE

Le grès vous a mis en déroute ;
Mais cela ne doit pas vous étonner.

HORACE

Sans doute,
Et j'ai compris d'abord que mon homme était là,
895 Qui, sans se faire voir, conduisait tout cela.
Mais ce qui m'a surpris, et qui va vous surprendre,
C'est un autre incident que vous allez entendre ;
Un trait hardi qu'a fait cette jeune beauté,
Et qu'on n'attendrait point de sa simplicité.
900 Il le faut avouer, l'amour est un grand maître :
Ce qu'on ne fut jamais il nous enseigne à l'être ;
Et souvent de nos mœurs l'absolu changement
Devient, par ses leçons, l'ouvrage d'un moment ;
De la nature, en nous, il force les obstacles,
905 Et ses effets soudains ont de l'air des miracles ;
D'un avare à l'instant il fait un libéral,
Un vaillant d'un poltron, un civil d'un brutal ;
Il rend agile à tout l'âme la plus pesante,
Et donne de l'esprit à la plus innocente.
910 Oui, ce dernier miracle éclate dans Agnès ;
Car, tranchant avec moi par ces termes exprès [1] :
« Retirez-vous : mon âme aux visites renonce ;
Je sais tous vos discours, et voilà ma réponse »,
Cette pierre ou ce grès dont vous vous étonniez
915 Avec un mot de lettre est tombée à mes pieds ;
Et j'admire de voir cette lettre ajustée

---

1. *Exprès* : clairs, explicites.

Avec le sens des mots et la pierre jetée.
D'une telle action n'êtes-vous pas surpris ?
L'amour sait-il pas l'art d'aiguiser les esprits ?
920 Et peut-on me nier que ses flammes puissantes
Ne fassent dans un cœur des choses étonnantes ?
Que dites-vous du tour et de ce mot d'écrit ?
Euh ! n'admirez-vous point cette adresse d'esprit ?
Trouvez-vous pas plaisant de voir quel personnage
925 A joué mon jaloux dans tout ce badinage ?
Dites.

ARNOLPHE

Oui, fort plaisant.

HORACE

Riez-en donc un peu.

Arnolphe rit d'un ris forcé.

Cet homme, gendarmé d'abord contre mon feu [1],
Qui chez lui se retranche, et de grès fait parade [2],
Comme si j'y voulais entrer par escalade ;
930 Qui, pour me repousser, dans son bizarre effroi,
Anime du dedans tous ses gens contre moi,
Et qu'abuse à ses yeux, par sa machine même [3],
Celle qu'il veut tenir dans l'ignorance extrême !
Pour moi, je vous l'avoue, encor que son retour
935 En un grand embarras jette ici mon amour,
Je tiens cela plaisant autant qu'on saurait dire,
Je ne puis y songer sans de bon cœur en rire :
Et vous n'en riez pas assez, à mon avis.

---

1. *Feu* : amour. \ 2. *De grès fait parade* : se protège avec une pierre. \ 3. *Par sa machine même* : par son invention. Le terme *machine* désigne également un engin de guerre. La lettre est le moyen de défense choisi par Agnès dans sa guerre contre la jalousie d'Arnolphe.

ARNOLPHE, *avec un ris forcé.*

Pardonnez-moi, j'en ris tout autant que je puis.

HORACE

940 Mais il faut qu'en ami je vous montre la lettre.
Tout ce que son cœur sent, sa main a su l'y mettre,
Mais en termes touchants et tous pleins de bonté,
De tendresse innocente et d'ingénuité,
De la manière enfin que la pure nature
945 Exprime de l'amour la première blessure.

ARNOLPHE, *bas.*

Voilà, friponne, à quoi l'écriture te sert ;
Et contre mon dessein l'art t'en fut découvert.

HORACE *lit.*

« Je veux vous écrire, et je suis bien en peine par où je m'y prendrai. J'ai des pensées que je désirerais que vous sussiez ; mais je ne sais comment faire pour vous les dire, et je me défie de mes paroles. Comme je commence à connaître qu'on m'a toujours tenue dans l'ignorance, j'ai peur de mettre quelque chose qui ne soit pas bien, et d'en dire plus que je ne devrais. En vérité, je ne sais ce que vous m'avez fait ; mais je sens que je suis fâchée à mourir de ce qu'on me fait faire contre vous, que j'aurai toutes les peines du monde à me passer de vous, et que je serais bien aise d'être à vous. Peut-être qu'il y a du mal à dire cela ; mais enfin je ne puis m'empêcher de le dire, et je voudrais que cela se pût faire sans qu'il y en eût. On me dit fort que tous les jeunes hommes sont des trompeurs, qu'il ne les faut point écouter, et que tout ce que vous me dites n'est que pour m'abuser ; mais je vous assure que je n'ai pu encore me figurer cela de vous, et je suis si touchée de vos paroles, que je ne saurais croire qu'elles soient menteuses. Dites-moi franchement ce qui en est ; car enfin, comme je suis sans malice, vous auriez le plus grand tort du monde, si vous me trompiez ; et je pense que j'en mourrais de déplaisir [1]. »

ARNOLPHE

Hon ! chienne !

HORACE

Qu'avez-vous ?

ARNOLPHE

Moi ? rien. C'est que je tousse.

HORACE

Avez-vous jamais vu d'expression plus douce ?
950 Malgré les soins maudits d'un injuste pouvoir,
Un plus beau naturel peut-il se faire voir ?
Et n'est-ce pas sans doute un crime punissable
De gâter méchamment ce fonds d'âme admirable,
D'avoir dans l'ignorance et la stupidité
955 Voulu de cet esprit étouffer la clarté ?
L'amour a commencé d'en déchirer le voile ;
Et si, par la faveur de quelque bonne étoile,
Je puis, comme j'espère, à ce franc [2] animal,
Ce traître, ce bourreau, ce faquin [3], ce brutal…

ARNOLPHE

960 Adieu.

HORACE

Comment, si vite ?

---

1. *Déplaisir* : désespoir. \ 2. *Franc* : véritable. \ 3. *Faquin* : homme méprisable.

ARNOLPHE

Il m'est dans la pensée,
Venu tout maintenant une affaire pressée.

HORACE

Mais ne sauriez-vous point, comme on la tient de près,
Qui dans cette maison pourrait avoir accès ?
J'en use sans scrupule ; et ce n'est pas merveille [1]
965 Qu'on se puisse, entre amis, servir à la pareille [2].
Je n'ai plus là-dedans que gens pour m'observer ;
Et servante et valet, que je viens de trouver,
N'ont jamais, de quelque air que je m'y sois pu prendre,
Adouci leur rudesse à me vouloir entendre.
970 J'avais pour de tels coups certaine vieille en main,
D'un génie, à vrai dire, au-dessus de l'humain :
Elle m'a dans l'abord [3] servi de bonne sorte ;
Mais depuis quatre jours la pauvre femme est morte.
Ne me pourriez-vous point ouvrir quelque moyen ?

ARNOLPHE

975 Non, vraiment ; et sans moi vous en trouverez bien.

HORACE

Adieu donc. Vous voyez ce que je vous confie.

---

1. *Ce n'est pas merveille* : il est naturel. \ **2.** *Servir à la pareille* : entraider. \ **3.** *Dans l'abord* : au début.

Scène V

ARNOLPHE

Comme il faut devant lui que je me mortifie[1] !
Quelle peine à cacher mon déplaisir cuisant !
Quoi ? pour une innocente un esprit si présent[2] !
980 Elle a feint d'être telle à mes yeux, la traîtresse,
Ou le diable à son âme a soufflé cette adresse.
Enfin me voilà mort par ce funeste écrit.
Je vois qu'il a, le traître, empaumé son esprit[3],
Qu'à ma suppression[4] il s'est ancré chez elle ;
985 Et c'est mon désespoir et ma peine mortelle.
Je souffre doublement dans le vol de son cœur,
Et l'amour y pâtit aussi bien que l'honneur,
J'enrage de trouver cette place usurpée,
Et j'enrage de voir ma prudence trompée.
990 Je sais que, pour punir son amour libertin,
Je n'ai qu'à laisser faire à son mauvais destin,
Que je serai vengé d'elle par elle-même ;
Mais il est bien fâcheux de perdre ce qu'on aime.
Ciel ! puisque pour un choix j'ai tant philosophé,
995 Faut-il de ses appas m'être si fort coiffé !
Elle n'a ni parents, ni support[5], ni richesse ;
Elle trahit mes soins, mes bontés, ma tendresse :
Et cependant je l'aime, après ce lâche tour,
Jusqu'à ne me pouvoir passer de cet amour.

---

1. *Je me mortifie* : je supporte d'être humilié. \ 2. *Un esprit si présent* : tant de présence d'esprit. \ 3. *Empaumé son esprit* : su la séduire (familier). Il s'agit également d'un terme de vénerie. Arnolphe considère Agnès comme un gibier entre les mains d'Horace. \ 4. *À ma suppression* : pour prendre ma place. \ 5. *Support* : soutien.

1000 Sot, n'as-tu point de honte ? Ah ! je crève, j'enrage,
Et je souffletterais mille fois mon visage.
Je veux entrer un peu, mais seulement pour voir
Quelle est sa contenance après un trait si noir.
Ciel, faites que mon front soit exempt de disgrâce ;
1005 Ou bien, s'il est écrit qu'il faille que j'y passe,
Donnez-moi tout au moins, pour de tels accidents,
La constance qu'on voit à de certaines gens !

Acte IV

Scène première

Arnolphe

J'ai peine, je l'avoue, à demeurer en place,
Et de mille soucis mon esprit s'embarrasse,
1010 Pour pouvoir mettre un ordre et dedans et dehors
Qui du godelureau[1] rompe tous les efforts.
De quel œil la traîtresse a soutenu ma vue !
De tout ce qu'elle a fait elle n'est point émue ;
Et bien qu'elle me mette à deux doigts du trépas,
1015 On dirait, à la voir, qu'elle n'y touche pas[2].
Plus en la regardant je la voyais tranquille,
Plus je sentais en moi s'échauffer une bile ;
Et ces bouillants transports dont s'enflammait mon cœur
Y semblaient redoubler mon amoureuse ardeur ;
1020 J'étais aigri, fâché, désespéré contre elle :
Et cependant jamais je ne la vis si belle,
Jamais ses yeux aux miens n'ont paru si perçants,
Jamais je n'eus pour eux des désirs si pressants ;
Et je sens là-dedans[3] qu'il faudra que je crève

---

1. *Godelureau* : jeune galant (terme familier et péjoratif). \ 2. *Qu'elle n'y touche pas* : qu'elle est innocente. \ 3. *Là-dedans* : en mon cœur.

1025 Si de mon triste sort la disgrâce s'achève.

Quoi ? j'aurai dirigé son éducation

Avec tant de tendresse et de précaution,

Je l'aurai fait passer chez moi dès son enfance,

Et j'en aurai chéri la plus tendre espérance,

1030 Mon cœur aura bâti sur ses attraits naissants

Et cru la mitonner[1] pour moi durant treize ans,

Afin qu'un jeune fou dont elle s'amourache

Me la vienne enlever jusque sur la moustache,

Lorsqu'elle est avec moi mariée à demi !

1035 Non, parbleu ! non, parbleu ! Petit sot, mon ami,

Vous aurez beau tourner : ou j'y perdrai mes peines,

Ou je rendrai, ma foi, vos espérances vaines,

Et de moi tout à fait vous ne vous rirez point.

Scène II

LE NOTAIRE, ARNOLPHE

LE NOTAIRE

Ah ! le voilà ! Bonjour. Me voici tout à point

1040 Pour dresser le contrat[2] que vous souhaitez faire.

ARNOLPHE, *sans le voir.*

Comment faire ?

LE NOTAIRE

Il le faut dans la forme ordinaire.

---

1. *Mitonner* : laisser cuire longtemps. Par extension, dorloter. \ **2.** *Contrat* : contrat de mariage.

ARNOLPHE, *sans le voir.*
À mes précautions je veux songer de près.

LE NOTAIRE
Je ne passerai rien contre vos intérêts[1].

ARNOLPHE, *sans le voir.*
Il se faut garantir de toutes les surprises.

LE NOTAIRE
1045 Suffit qu'entre mes mains vos affaires soient mises.
Il ne vous faudra point, de peur d'être déçu,
Quittancer le contrat que vous n'ayez reçu[2].

ARNOLPHE, *sans le voir.*
J'ai peur, si je vais faire éclater quelque chose,
Que de cet incident par la ville on ne cause.

LE NOTAIRE
1050 Hé bien ! il est aisé d'empêcher cet éclat,
Et l'on peut en secret faire votre contrat.

ARNOLPHE, *sans le voir.*
Mais comment faudra-t-il qu'avec elle j'en sorte ?

LE NOTAIRE
Le douaire se règle au bien qu'on vous apporte[3].

ARNOLPHE, *sans le voir.*
Je l'aime, et cet amour est mon grand embarras.

---

1. *Je ne passerai rien contre vos intérêts* : je ne dresserai aucun acte qui serait contre vos intérêts. \ **2.** *Quittancer le contrat que vous n'ayez reçu* : considérer que votre future épouse est quitte envers vous avant d'avoir reçu la dot. \ **3.** Les biens dont votre femme aurait l'usufruit après votre mort sont calculés par rapport à la dot que celle-ci vous apporte.

LE NOTAIRE

1055 On peut avantager une femme en ce cas.

ARNOLPHE, *sans le voir.*

Quel traitement lui faire en pareille aventure ?

LE NOTAIRE

L'ordre est que le futur doit douer la future [1]
Du tiers du dot qu'elle a ; mais cet ordre n'est rien,
Et l'on va plus avant lorsque l'on le veut bien.

ARNOLPHE, *sans le voir.*

1060 Si...

LE NOTAIRE, *Arnolphe l'apercevant.*

Pour le préciput [2], il les regarde ensemble.
Je dis que le futur peut comme bon lui semble
Douer la future.

ARNOLPHE, *l'ayant aperçu.*

Euh ?

LE NOTAIRE

Il peut l'avantager
Lorsqu'il l'aime beaucoup et qu'il veut l'obliger [3],
Et cela par douaire, ou préfix [4] qu'on appelle,
1065 Qui demeure perdu par le trépas d'icelle,
Ou sans retour, qui va de ladite à ses hoirs [5],
Ou coutumier, selon les différents vouloirs,

---

1. *L'ordre est que le futur doit douer la future* : la règle est que le futur époux assure un douaire à la future épouse. \ 2. *Préciput* : droit prévu pour l'époux survivant de prélever une partie des biens du défunt, avant le partage réglé par la succession. \ 3. *L'obliger* : lui faire plaisir. \ 4. Le douaire « préfix » peut être perdu pour les héritiers de la femme, au moment de sa mort, ou bien aller à ses héritiers et être « sans retour » pour le mari. \ 5. *Hoirs* : héritiers.

Ou par donation dans le contrat formelle,
Qu'on fait ou pure et simple, ou qu'on fait mutuelle.
1070 Pourquoi hausser le dos[1] ? Est-ce qu'on parle en fat[2],
Et que l'on ne sait pas les formes d'un contrat ?
Qui me les apprendra ? Personne, je présume.
Sais-je pas qu'étant joints, on est par la Coutume
Communs en meubles, biens immeubles et conquêts[3],
1075 À moins que par un acte on y renonce exprès[4] ?
Sais-je pas que le tiers du bien de la future
Entre en communauté pour…

ARNOLPHE

                    Oui, c'est chose sûre,
Vous savez tout cela ; mais qui vous en dit mot ?

LE NOTAIRE

Vous, qui me prétendez faire passer pour sot,
1080 En me haussant l'épaule et faisant la grimace.

ARNOLPHE

La peste soit fait l'homme, et sa chienne de face !
Adieu : c'est le moyen de vous faire finir.

LE NOTAIRE

Pour dresser un contrat m'a-t-on pas fait venir ?

ARNOLPHE

Oui, je vous ai mandé[5] ; mais la chose est remise,
1085 Et l'on vous mandera quand l'heure sera prise,
Voyez quel diable d'homme avec son entretien !

---

1. *Hausser le dos* : hausser les épaules. \ **2.** *Fat* : personnage vaniteux. \ **3.** *Conquêts* : biens acquis conjointement, dans le cadre du mariage. \ **4.** *Exprès* : explicitement, expressément. \ **5.** *Mandé* : demandé, fait venir.

LE NOTAIRE

Je pense qu'il en tient [1], et je crois penser bien.

Scène III

LE NOTAIRE, ALAIN, GEORGETTE, ARNOLPHE

LE NOTAIRE

M'êtes-vous pas venu querir pour votre maître ?

ALAIN

Oui.

LE NOTAIRE

J'ignore pour qui vous le pouvez connaître,
1090 Mais allez de ma part lui dire de ce pas
Que c'est un fou fieffé.

GEORGETTE

Nous n'y manquerons pas.

Scène IV

ALAIN, GEORGETTE, ARNOLPHE

ALAIN

Monsieur…

---

1. *Il en tient* : il est fou.

ARNOLPHE

Approchez-vous : vous êtes mes fidèles,
Mes bons, mes vrais amis, et j'en sais des nouvelles.

ALAIN

Le notaire…

ARNOLPHE

Laissons, c'est pour quelque autre jour.
1095 On veut à mon honneur jouer d'un mauvais tour ;
Et quel affront pour vous, mes enfants, pourrait-ce être,
Si l'on avait ôté l'honneur à votre maître !
Vous n'oseriez après paraître en nul endroit,
Et chacun, vous voyant, vous montrerait au doigt.
1100 Donc, puisque autant que moi l'affaire vous regarde,
Il faut de votre part faire une telle garde,
Que ce galant ne puisse en aucune façon…

GEORGETTE

Vous nous avez tantôt montré notre leçon.

ARNOLPHE

Mais à ses beaux discours gardez bien de vous rendre.

ALAIN

1105 Oh ! vraiment.

GEORGETTE

Nous savons comme il faut s'en défendre.

ARNOLPHE

S'il venait doucement : « Alain, mon pauvre cœur,
Par un peu de secours soulage ma langueur. »

ALAIN

Vous êtes un sot.

ARNOLPHE

À Georgette.

Bon. « Georgette, ma mignonne,
Tu me parais si douce et si bonne personne. »

GEORGETTE

1110 Vous êtes un nigaud.

ARNOLPHE

À Alain.

Bon. « Quel mal trouves-tu
Dans un dessein honnête et tout plein de vertu ? »

ALAIN

Vous êtes un fripon.

ARNOLPHE

À Georgette.

Fort bien. « Ma mort est sûre,
Si tu ne prends pitié des peines que j'endure. »

GEORGETTE

Vous êtes un benêt, un impudent.

ARNOLPHE

Fort bien.

1115 « Je ne suis pas un homme à vouloir rien pour rien ;
Je sais, quand on me sert, en garder la mémoire ;
Cependant, par avance, Alain, voilà pour boire ;
Et voilà pour t'avoir, Georgette, un cotillon :

Ils tendent tous deux la main et prennent l'argent.

Ce n'est de mes bienfaits qu'un simple échantillon.

1120 Toute la courtoisie enfin dont je vous presse [1],
C'est que je puisse voir votre belle maîtresse. »

GEORGETTE, *le poussant.*

À d'autres.

ARNOLPHE

Bon cela.

ALAIN, *le poussant.*

Hors d'ici.

ARNOLPHE

Bon.

GEORGETTE, *le poussant.*

Mais tôt [2].

ARNOLPHE

Bon. Holà ! c'est assez.

GEORGETTE

Fais-je pas comme il faut ?

ALAIN

Est-ce de la façon que vous voulez l'entendre ?

ARNOLPHE

1125 Oui, fort bien, hors l'argent, qu'il ne fallait pas prendre.

GEORGETTE

Nous ne nous sommes pas souvenus de ce point.

ALAIN

Voulez-vous qu'à l'instant nous recommencions ?

---

1. *La courtoisie dont je vous presse* : le service que je vous demande. \ **2.** *Tôt* : vite.

ARNOLPHE

Point :

Suffit. Rentrez tous deux.

ALAIN

Vous n'avez rien qu'à dire.

ARNOLPHE

Non, vous dis-je ; rentrez, puisque je le désire.
1130 Je vous laisse l'argent. Allez : je vous rejoins.
Ayez bien l'œil à tout, et secondez mes soins.

Scène V

ARNOLPHE

Je veux, pour espion qui soit d'exacte vue[1],
Prendre le savetier[2] du coin de notre rue.
Dans la maison toujours je prétends la tenir,
1135 Y faire bonne garde, et surtout en bannir
Vendeuses de ruban, perruquières, coiffeuses,
Faiseuses de mouchoirs, gantières, revendeuses,
Tous ces gens qui sous main[3] travaillent chaque jour
À faire réussir les mystères d'amour.
1140 Enfin j'ai vu le monde et j'en sais les finesses.
Il faudra que mon homme ait de grandes adresses
Si message ou poulet[4] de sa part peut entrer.

---

1. *D'exacte vue* : attentif, vigilant. \ **2.** Les savetiers, dans leurs échoppes donnant sur la rue, étaient supposés disposer d'un poste d'observation idéalement placé. \ **3** *Sous main* : secrètement. \ **4.** *Poulet* : billet galant.

Scène VI

HORACE, ARNOLPHE

HORACE

La place m'est heureuse à vous y rencontrer [1]
Je viens de l'échapper bien belle, je vous jure.
1145 Au sortir d'avec vous, sans prévoir l'aventure,
Seule dans son balcon j'ai vu paraître Agnès,
Qui des arbres prochains prenait un peu le frais.
Après m'avoir fait signe, elle a su faire en sorte,
Descendant au jardin, de m'en ouvrir la porte ;
1150 Mais à peine tous deux dans sa chambre étions-nous,
Qu'elle a sur les degrés [2] entendu son jaloux ;
Et tout ce qu'elle a pu dans un tel accessoire [3],
C'est de me renfermer dans une grande armoire.
Il est entré d'abord [4] : je ne le voyais pas,
1155 Mais je l'oyais marcher, sans rien dire, à grands pas,
Poussant de temps en temps des soupirs pitoyables,
Et donnant quelquefois de grands coups sur les tables,
Frappant un petit chien qui pour lui s'émouvait,
Et jetant brusquement les hardes [5] qu'il trouvait ;
1160 Il a même cassé, d'une main mutinée [6],
Des vases dont la belle ornait sa cheminée ;
Et sans doute il faut bien qu'à ce becque cornu [7]
Du trait qu'elle a joué quelque jour [8] soit venu.
Enfin, après cent tours, ayant de la manière

---

1. *La place m'est heureuse à vous y rencontrer* : il m'est agréable de vous rencontrer en ce lieu. \ 2. *Sur les degrés* : sur les marches de l'escalier. \ 3. *Dans un tel accessoire* : en si mauvaise posture. \ 4. *D'abord* : tout de suite. \ 5. *Hardes* : vêtements. \ 6. *Mutinée* : révoltée. \ 7. *Becque cornu* : de l'italien *becco cornuto* qui signifie bouc cornard. \ 8. *Jour* : lumière, connaissance.

1165 Sur ce qui n'en peut mais déchargé sa colère,
Mon jaloux inquiet, sans dire son ennui,
Est sorti de la chambre, et moi de mon étui.
Nous n'avons point voulu, de peur du personnage,
Risquer à nous tenir ensemble davantage :
1170 C'était trop hasarder ; mais je dois, cette nuit,
Dans sa chambre un peu tard m'introduire sans bruit.
En toussant par trois fois je me ferai connaître ;
Et je dois au signal voir ouvrir la fenêtre,
Dont, avec une échelle, et secondé d'Agnès,
1175 Mon amour tâchera de me gagner l'accès.
Comme à mon seul ami, je veux bien vous l'apprendre :
L'allégresse du cœur s'augmente à la répandre ;
Et goûtât-on cent fois un bonheur tout parfait,
On n'en est pas content, si quelqu'un ne le sait.
1180 Vous prendrez part, je pense, à l'heur de mes affaires.
Adieu. Je vais songer aux choses nécessaires.

Scène VII

ARNOLPHE

Quoi ? l'astre qui s'obstine à me désespérer
Ne me donnera pas le temps de respirer ?
Coup sur coup je verrai, par leur intelligence,
1185 De mes soins vigilants confondre la prudence ?
Et je serai la dupe, en ma maturité,
D'une jeune innocente et d'un jeune éventé ?
En sage philosophe on m'a vu, vingt années,

Contempler des maris les tristes destinées,
1190 Et m'instruire avec soin de tous les accidents
Qui font dans le malheur tomber les plus prudents ;
Des disgrâces d'autrui profitant dans mon âme,
J'ai cherché les moyens, voulant prendre une femme,
De pouvoir garantir mon front de tous affronts,
1195 Et le tirer de pair d'avec les autres fronts [1].
Pour ce noble dessein, j'ai cru mettre en pratique
Tout ce que peut trouver l'humaine politique ;
Et comme si du sort il était arrêté [2]
Que nul homme ici-bas n'en [3] serait exempté,
1200 Après l'expérience et toutes les lumières
Que j'ai pu m'acquérir sur de telles matières,
Après vingt ans et plus de méditation
Pour me conduire en tout avec précaution,
De tant d'autres maris j'aurais quitté la trace
1205 Pour me trouver après dans la même disgrâce ?
Ah ! bourreau de destin, vous en aurez menti.
De l'objet qu'on poursuit je suis encor nanti ;
Si son cœur m'est volé par ce blondin funeste,
J'empêcherai du moins qu'on s'empare du reste,
1210 Et cette nuit, qu'on prend pour le galant exploit,
Ne se passera pas si doucement qu'on croit.
Ce m'est quelque plaisir, parmi tant de tristesse,
Que l'on me donne avis du piège qu'on me dresse,
Et que cet étourdi, qui veut m'être fatal,
1215 Fasse son confident de son propre rival.

---

1. *Le tirer de pair d'avec les autres fronts* : le distinguer des autres fronts. \ **2.** *Comme si du sort il était arrêté* : comme si le sort avait décidé. \ **3.** *En* : pronom mis pour « affronts ».

Scène VIII

CHRYSALDE, ARNOLPHE

CHRYSALDE

Hé bien! souperons-nous avant la promenade?

ARNOLPHE

Non, je jeûne ce soir.

CHRYSALDE

D'où vient cette boutade[1]?

ARNOLPHE

De grâce, excusez-moi: j'ai quelque autre embarras.

CHRYSALDE

Votre hymen résolu[2] ne se fera-t-il pas?

ARNOLPHE

1220 C'est trop s'inquiéter des affaires des autres.

CHRYSALDE

Oh! oh! si brusquement! Quels chagrins sont les vôtres?
Serait-il point, compère, à votre passion
Arrivé quelque peu de tribulation[3]?
Je le jurerais presque à voir votre visage.

ARNOLPHE

1225 Quoi qu'il m'arrive, au moins aurai-je l'avantage
De ne pas ressembler à de certaines gens
Qui souffrent doucement l'approche des galants.

---

1. *Boutade*: caprice. \ 2. *Votre hymen résolu*: le mariage que vous avez décidé. \ 3. *Tribulation*: mésaventure.

CHRYSALDE

C'est un étrange fait, qu'avec tant de lumières,
Vous vous effarouchiez toujours sur ces matières,
1230 Qu'en cela vous mettiez le souverain bonheur,
Et ne conceviez point au monde d'autre honneur.
Être avare, brutal, fourbe, méchant et lâche,
N'est rien, à votre avis, auprès de cette tâche ;
Et, de quelque façon qu'on puisse avoir vécu,
1235 On est homme d'honneur quand on n'est point cocu.
À le bien prendre au fond, pourquoi voulez-vous croire
Que de ce cas fortuit dépende notre gloire,
Et qu'une âme bien née ait à se reprocher
L'injustice d'un mal qu'on ne peut empêcher ?
1240 Pourquoi voulez-vous, dis-je, en prenant une femme,
Qu'on soit digne, à son choix, de louange ou de blâme,
Et qu'on s'aille former un monstre plein d'effroi
De l'affront que nous fait son manquement de foi ?
Mettez-vous dans l'esprit qu'on peut du cocuage
1245 Se faire en galant homme une plus douce image,
Que des coups du hasard aucun n'étant garant,
Cet accident de soi[1] doit être indifférent,
Et qu'enfin tout le mal, quoi que le monde glose[2],
N'est que dans la façon de recevoir la chose ;
1250 Car, pour se bien conduire en ces difficultés,
Il y faut, comme en tout, fuir les extrémités[3],
N'imiter pas ces gens un peu trop débonnaires
Qui tirent vanité de ces sortes d'affaires,

---

1. *De soi* : en lui-même. \ **2.** *Quoi que le monde glose* : quoi qu'en disent les gens. \ **3.** *Extrémités* : attitudes excessives. Chrysalde, en homme raisonnable, défend le parti du juste milieu.

De leurs femmes toujours vont citant les galants,
1255 En font partout l'éloge, et prônent leurs talents,
Témoignent avec eux d'étroites sympathies,
Sont de tous leurs cadeaux, de toutes leurs parties,
Et font qu'avec raison les gens sont étonnés
De voir leur hardiesse à montrer là leur nez.
1260 Ce procédé, sans doute, est tout à fait blâmable ;
Mais l'autre extrémité n'est pas moins condamnable.
Si je n'approuve pas ces amis des galants,
Je ne suis pas aussi pour ces gens turbulents
Dont l'imprudent chagrin, qui tempête et qui gronde,
1265 Attire au bruit qu'il fait les yeux de tout le monde,
Et qui, par cet éclat, semblent ne pas vouloir
Qu'aucun [1] puisse ignorer ce qu'ils peuvent avoir.
Entre ces deux partis il en est un honnête,
Où dans l'occasion l'homme prudent [2] s'arrête ;
1270 Et quand on le sait prendre, on n'a point à rougir
Du pis dont une femme avec nous puisse agir.
Quoi qu'on en puisse dire enfin, le cocuage
Sous des traits moins affreux aisément s'envisage ;
Et, comme je vous dis, toute l'habileté
1275 Ne va qu'à le savoir tourner du bon côté.

ARNOLPHE

Après ce beau discours, toute la confrérie [3]
Doit un remercîment à Votre Seigneurie ;
Et quiconque voudra vous entendre parler
Montrera de la joie à s'y voir enrôler.

---

1. *Qu'aucun* : que quelqu'un. \ 2. *Prudent* : sage. \ 3. *Confrérie* [des cocus].

CHRYSALDE

1280 Je ne dis pas cela, car c'est ce que je blâme ;
Mais, comme c'est le sort qui nous donne une femme,
Je dis que l'on doit faire ainsi qu'au jeu de dés,
Où, s'il ne vous vient pas ce que vous demandez,
Il faut jouer d'adresse, et d'une âme réduite[1]
1285 Corriger le hasard par la bonne conduite.

ARNOLPHE

C'est-à-dire dormir et manger toujours bien,
Et se persuader que tout cela n'est rien.

CHRYSALDE

Vous pensez vous moquer ; mais, à ne vous rien feindre,
Dans le monde je vois cent choses plus à craindre,
1290 Et dont je me ferais un bien plus grand malheur
Que de cet accident qui vous fait tant de peur.
Pensez-vous qu'à choisir de deux choses prescrites,
Je n'aimasse pas mieux être ce que vous dites,
Que de me voir mari de ces femmes de bien,
1295 Dont la mauvaise humeur fait un procès sur rien,
Ces dragons de vertu, ces honnêtes diablesses,
Se retranchant toujours sur leurs sages prouesses.
Qui, pour un petit tort qu'elles ne nous font pas,
Prennent droit de traiter les gens de haut en bas,
1300 Et veulent, sur le pied de nous être fidèles[2],
Que nous soyons tenus à tout endurer d'elles ?
Encore un coup, compère, apprenez qu'en effet
Le cocuage n'est que ce que l'on le fait,

---

1. *Réduite* : soumise. \ **2.** *Sur le pied de nous être fidèles* : sous prétexte qu'elles nous sont fidèles.

Qu'on peut le souhaiter pour de certaines causes,
1305 Et qu'il a ses plaisirs comme les autres choses.

ARNOLPHE

Si vous êtes d'humeur à vous en contenter,
Quant à moi, ce n'est pas la mienne d'en tâter ;
Et plutôt que subir une telle aventure...

CHRYSALDE

Mon Dieu ! ne jurez point, de peur d'être parjure.
1310 Si le sort l'a réglé, vos soins sont superflus,
Et l'on ne prendra pas votre avis là-dessus.

ARNOLPHE

Moi, je serais cocu ?

CHRYSALDE

       Vous voilà bien malade !
Mille gens le sont bien, sans vous faire bravade,
Qui de mine, de cœur, de biens et de maison[1],
1315 Ne feraient avec vous nulle comparaison.

ARNOLPHE

Et moi, je n'en voudrais avec eux faire aucune.
Mais cette raillerie, en un mot, m'importune :
Brisons là[2], s'il vous plaît.

CHRYSALDE

       Vous êtes en courroux.
Nous en saurons la cause. Adieu. Souvenez-vous,
1320 Quoi que sur ce sujet votre honneur vous inspire,

---

1. *De maison* : de famille. \ 2. *Brisons là* : arrêtons là cette conversation.

Que c'est être à demi ce que l'on vient de dire,
Que de vouloir jurer qu'on ne le sera pas.

ARNOLPHE

Moi, je le jure encore, et je vais de ce pas
Contre cet accident trouver un bon remède.

Scène IX

ALAIN, GEORGETTE, ARNOLPHE

ARNOLPHE

1325 Mes amis, c'est ici que j'implore votre aide.
Je suis édifié de votre affection[1] ;
Mais il faut qu'elle éclate en cette occasion ;
Et si vous m'y servez selon ma confiance[2],
Vous êtes assurés de votre récompense.
1330 L'homme que vous savez (n'en faites point de bruit)
Veut, comme je l'ai su, m'attraper cette nuit,
Dans la chambre d'Agnès entrer par escalade ;
Mais il lui faut nous trois dresser une embuscade.
Je veux que vous preniez chacun un bon bâton,
1335 Et, quand il sera près du dernier échelon
(Car dans le temps qu'il faut j'ouvrirai la fenêtre),
Que tous deux, à l'envi, vous me chargiez ce traître,
Mais d'un air[3] dont son dos garde le souvenir,
Et qui lui puisse apprendre à n'y plus revenir :

---

1. *Je suis édifié de votre affection* : je connais votre attachement à moi. \ **2.** *Selon ma confiance* : comme je l'espère. \ **3.** *D'un air* : d'une façon.

1340 Sans me nommer pourtant en aucune manière,
Ni faire aucun semblant[1] que je serai derrière.
Aurez-vous bien l'esprit de servir mon courroux ?

ALAIN

S'il ne tient qu'à frapper, mon Dieu ! tout est à nous :
Vous verrez, quand je bats, si j'y vais de main morte.

GEORGETTE

1345 La mienne, quoique aux yeux elle semble moins forte,
N'en quitte pas sa part à le bien étriller.

ARNOLPHE

Rentrez donc ; et surtout gardez de babiller.
Voilà pour le prochain une leçon utile ;
Et si tous les maris qui sont en cette ville
1350 De leurs femmes ainsi recevaient le galant,
Le nombre des cocus ne serait pas si grand.

---

1. *Faire aucun semblant* : faire comprendre d'une quelconque manière.

Acte V

Scène première

ARNOLPHE, ALAIN, GEORGETTE

ARNOLPHE

Traîtres, qu'avez-vous fait par cette violence ?

ALAIN

Nous vous avons rendu, Monsieur, obéissance.

ARNOLPHE

De cette excuse en vain vous voulez vous armer :
1355 L'ordre était de le battre, et non de l'assommer ;
Et c'était sur le dos, et non pas sur la tête,
Que j'avais commandé qu'on fît choir la tempête.
Ciel ! dans quel accident me jette ici le sort !
Et que puis-je résoudre[1] à voir cet homme mort ?
1360 Rentrez dans la maison, et gardez de rien dire
De cet ordre innocent que j'ai pu vous prescrire.
Le jour s'en va paraître, et je vais consulter[2]
Comment dans ce malheur je me dois comporter.
Hélas ! que deviendrai-je ? et que dira le père,
1365 Lorsque inopinément il saura cette affaire ?

---

1. *Résoudre* : décider. \ 2. *Consulter* : réfléchir, prendre conseil auprès d'autres personnes.

Scène II

HORACE, ARNOLPHE

HORACE

Il faut que j'aille un peu reconnaître qui c'est.

ARNOLPHE

Eût-on jamais prévu… Qui va là, s'il vous plaît ?

HORACE

C'est vous, Seigneur Arnolphe ?

ARNOLPHE

Oui. Mais vous ?…

HORACE

C'est Horace.

Je m'en allais chez vous, vous prier d'une grâce.
1370   Vous sortez bien matin !

ARNOLPHE, *bas*

Quelle confusion !
Est-ce un enchantement ? est-ce une illusion ?

HORACE

J'étais, à dire vrai, dans une grande peine,
Et je bénis du Ciel la bonté souveraine
Qui fait qu'à point nommé je vous rencontre ainsi.
1375   Je viens vous avertir que tout a réussi,
Et même beaucoup plus que je n'eusse osé dire,
Et par un incident qui devait tout détruire.
Je ne sais point par où l'on[1] a pu soupçonner

---

1. Le pronom impersonnel « on » renvoie au jaloux.

Cette assignation qu'on m'avait su donner[1] ;
1380 Mais, étant sur le point d'atteindre à la fenêtre,
J'ai, contre mon espoir, vu quelques gens paraître,
Qui, sur moi brusquement levant chacun le bras,
M'ont fait manquer le pied et tomber jusqu'en bas.
Et ma chute, aux dépens de[2] quelque meurtrissure,
1385 De vingt coups de bâton m'a sauvé l'aventure.
Ces gens-là, dont était, je pense, mon jaloux,
Ont imputé ma chute à l'effort de leurs coups ;
Et, comme la douleur, un assez long espace[3],
M'a fait sans remuer demeurer sur la place,
1390 Ils ont cru tout de bon qu'ils m'avaient assommé,
Et chacun d'eux s'en est aussitôt alarmé.
J'entendais tout leur bruit dans le profond silence ;
L'un l'autre ils s'accusaient de cette violence ;
Et sans lumière aucune, en querellant le sort,
1395 Sont venus doucement tâter si j'étais mort :
Je vous laisse à penser si, dans la nuit obscure,
J'ai d'un vrai trépassé su tenir la figure.
Ils se sont retirés avec beaucoup d'effroi ;
Et comme je songeais à me retirer, moi,
1400 De cette feinte mort la jeune Agnès émue
Avec empressement est devers moi venue ;
Car les discours qu'entre eux ces gens avaient tenus
Jusques à son oreille étaient d'abord venus,
Et pendant tout ce trouble étant moins observée,
1405 Du logis aisément elle s'était sauvée ;

---

1. *Cette assignation qu'on m'avait su donner* : le rendez-vous qu'Agnès m'avait su donner. \ **2.** *Aux dépens de* : au prix de. \ **3.** *Espace* [de temps] : moment.

Mais me trouvant sans mal, elle a fait éclater
Un transport [1] difficile à bien représenter.
Que vous dirai-je ? Enfin cette aimable personne
A suivi les conseils que son amour lui donne,

1410 N'a plus voulu songer à retourner chez soi,
Et de tout son destin s'est commise à ma foi.
Considérez un peu, par ce trait d'innocence,
Où l'expose d'un fou la haute impertinence [2],
Et quels fâcheux périls elle pourrait courir,

1415 Si j'étais maintenant homme à la moins chérir.
Mais d'un trop pur amour mon âme est embrasée ;
J'aimerais mieux mourir que l'avoir abusée ;
Je lui vois des appas dignes d'un autre sort,
Et rien ne m'en saurait séparer que la mort.

1420 Je prévois là-dessus l'emportement d'un père ;
Mais nous prendrons le temps d'apaiser sa colère.
À des charmes si doux je me laisse emporter,
Et dans la vie enfin il se faut contenter.
Ce que je veux de vous, sous un secret fidèle,

1425 C'est que je puisse mettre en vos mains cette belle,
Que dans votre maison, en faveur de mes feux [3],
Vous lui donniez retraite au moins un jour ou deux.
Outre qu'aux yeux du monde il faut cacher sa fuite,
Et qu'on en pourra faire une exacte [4] poursuite,

1430 Vous savez qu'une fille aussi de sa façon [5]
Donne avec un jeune homme un étrange soupçon ;
Et comme c'est à vous, sûr de votre prudence,

---

1. *Transport* : élan amoureux. \ 2. *Impertinence* : comportement contraire à la raison. \ 3. *En faveur de mes feux* : pour favoriser mon amour. \ 4. *Exacte* : achevée, aboutie. \ 5. *De sa façon* : avec sa beauté.

Que j'ai fait de mes feux entière confidence,
C'est à vous seul aussi, comme ami généreux[1],
1435 Que je puis confier ce dépôt amoureux.

ARNOLPHE

Je suis, n'en doutez point, tout à votre service.

HORACE

Vous voulez bien me rendre un si charmant office[2]?

ARNOLPHE

Très volontiers, vous dis-je ; et je me sens ravir
De cette occasion que j'ai de vous servir,
1440 Je rends grâces au Ciel de ce qu'il me l'envoie,
Et n'ai jamais rien fait avec si grande joie.

HORACE

Que je suis redevable à toutes vos bontés !
J'avais de votre part craint des difficultés ;
Mais vous êtes du monde[3], et dans votre sagesse
1445 Vous savez excuser le feu de la jeunesse.
Un de mes gens la garde au coin de ce détour.

ARNOLPHE

Mais comment ferons-nous ? car il fait un peu jour ;
Si je la prends ici, l'on me verra peut-être ;
Et s'il faut que chez moi vous veniez à paraître,
1450 Des valets causeront. Pour jouer au plus sûr,
Il faut me l'amener dans un lieu plus obscur.
Mon allée[4] est commode, et je l'y vais attendre.

---

1. *Généreux* : au cœur noble. \ 2. *Office* : service. \ 3. *Du monde* : de la bonne société. \ 4. *Allée* : corridor, couloir de l'entrée.

HORACE

Ce sont précautions qu'il est fort bon de prendre.

Pour moi, je ne ferai que vous la mettre en main,

1455 Et chez moi, sans éclat, je retourne soudain.

ARNOLPHE, *seul.*

Ah ! fortune, ce trait d'aventure propice

Répare tous les maux que m'a faits ton caprice !

Scène III

AGNÈS, HORACE, ARNOLPHE

HORACE

Ne soyez point en peine où je vais vous mener :

C'est un logement sûr que je vous fais donner.

1460 Vous loger avec moi, ce serait tout détruire :

Entrez dans cette porte et laissez-vous conduire.

Arnolphe lui prend la main sans qu'elle le reconnaisse.

AGNÈS

Pourquoi me quittez-vous ?

HORACE

Chère Agnès, il le faut.

AGNÈS

Songez donc, je vous prie, à revenir bientôt.

HORACE

J'en suis assez pressé par ma flamme amoureuse.

AGNÈS

1465 Quand je ne vous vois point, je ne suis point joyeuse.

HORACE

Hors de votre présence, on me voit triste aussi.

AGNÈS

Hélas! s'il était vrai[1], vous resteriez ici.

HORACE

Quoi? vous pourriez douter de mon amour extrême!

AGNÈS

Non, vous ne m'aimez pas autant que je vous aime.

Arnolphe la tire.

1470 Ah! l'on me tire trop.

HORACE

C'est qu'il est dangereux,
Chère Agnès, qu'en ce lieu nous soyons vus tous deux;
Et le parfait ami de qui la main vous presse
Suit le zèle prudent qui pour nous l'intéresse[2].

AGNÈS

Mais suivre un inconnu que...

HORACE

N'appréhendez rien:

1475 Entre de telles mains vous ne serez que bien.

AGNÈS

Je me trouverais mieux entre celles d'Horace.
Et j'aurais...

---

1. *S'il était vrai*: si c'était vrai. \ **2.** *Qui pour nous l'intéresse*: qui signale son intérêt pour
notre amour.

À Arnolphe qui la tire encore.

Attendez.

HORACE

Adieu : le jour me chasse.

AGNÈS

Quand vous verrai-je donc ?

HORACE

Bientôt. Assurément.

AGNÈS

Que je vais m'ennuyer[1] jusques à ce moment !

HORACE

1480 Grâce au Ciel, mon bonheur n'est plus en concurrence[2],
Et je puis maintenant dormir en assurance.

Scène IV

ARNOLPHE, AGNÈS

ARNOLPHE, *le nez dans son manteau.*

Venez, ce n'est pas là que je vous logerai,
Et votre gîte ailleurs est par moi préparé :
Je prétends en lieu sûr mettre votre personne.
1485 Me connaissez-vous ?

AGNÈS, *le reconnaissant.*

Hay !

---

1. *Ennuyer* : causer des tourments, être insupportable (sens fort). \ **2.** *Mon bonheur n'est plus en concurrence* : mon bonheur n'est plus menacé par le jaloux.

Arnolphe

Mon visage, friponne,
Dans cette occasion rend vos sens effrayés,
Et c'est à contrecœur qu'ici vous me voyez.
Je trouble en ses projets l'amour qui vous possède.

Agnès regarde si elle ne verra point Horace.

N'appelez point des yeux le galant à votre aide :
1490   Il est trop éloigné pour vous donner secours.
Ah ! ah ! si jeune encor, vous jouez de ces tours !
Votre simplicité, qui semble sans pareille,
Demande si l'on fait les enfants par l'oreille ;
Et vous savez donner des rendez-vous la nuit,
1495   Et pour suivre un galant vous évader sans bruit !
Tudieu[1] ! comme avec lui votre langue cajole[2] !
Il faut qu'on vous ait mise à quelque bonne école.
Qui diantre tout d'un coup vous en a tant appris ?
Vous ne craignez donc plus de trouver des esprits[3] ?
1500   Et ce galant, la nuit, vous a donc enhardie ?
Ah ! coquine, en venir à cette perfidie ?
Malgré tous mes bienfaits former un tel dessein !
Petit serpent que j'ai réchauffé dans mon sein,
Et qui, dès qu'il se sent[4], par une humeur ingrate,
1505   Cherche à faire du mal à celui qui le flatte !

Agnès

Pourquoi me criez-vous ?

---

1. *Tudieu* : vertu [de Dieu]. \ **2.** *Cajole* : cherche à séduire. \ **3.** *Esprits* : revenants. \ **4.** *Dès qu'il se sent* : dès qu'il s'en sent capable.

ARNOLPHE

J'ai grand tort en effet !

AGNÈS

Je n'entends point de mal dans tout ce que j'ai fait.

ARNOLPHE

Suivre un galant n'est pas une action infâme ?

AGNÈS

C'est un homme qui dit qu'il me veut pour sa femme ;
1510 J'ai suivi vos leçons, et vous m'avez prêché
Qu'il se faut marier pour ôter le péché.

ARNOLPHE

Oui. Mais pour femme, moi je prétendais vous prendre ;
Et je vous l'avais fait, me semble, assez entendre.

AGNÈS

Oui. Mais, à vous parler franchement entre nous,
1515 Il est plus pour cela selon mon goût que vous.
Chez vous le mariage est fâcheux et pénible,
Et vos discours en font une image terrible ;
Mais, las ! il le fait, lui, si rempli de plaisirs,
Que de se marier il donne des désirs.

ARNOLPHE

1520 Ah ! c'est que vous l'aimez, traîtresse !

AGNÈS

Oui, je l'aime.

ARNOLPHE

Et vous avez le front de le dire à moi-même !

AGNÈS

Et pourquoi, s'il est vrai [1], ne le dirais-je pas ?

ARNOLPHE

Le deviez-vous aimer, impertinente ?

AGNÈS

Hélas !

Est-ce que j'en puis mais [2] ? Lui seul en est la cause ;
1525 Et je n'y songeais pas lorsque se fit la chose.

ARNOLPHE

Mais il fallait chasser cet amoureux désir.

AGNÈS

Le moyen de chasser ce qui fait du plaisir ?

ARNOLPHE

Et ne saviez-vous pas que c'était me déplaire ?

AGNÈS

Moi ? point du tout. Quel mal cela vous peut-il faire ?

ARNOLPHE

1530 Il est vrai, j'ai sujet d'en être réjoui.
Vous ne m'aimez donc pas, à ce compte ?

AGNÈS

Vous ?

ARNOLPHE

Oui.

AGNÈS

Hélas ! non.

---

1. *S'il est vrai* : si c'est vrai. \ **2.** *Est-ce que j'en puis mais ?* : Est-ce que j'y puis quelque chose ?

ARNOLPHE

Comment, non !

AGNÈS

Voulez-vous que je mente ?

ARNOLPHE

Pourquoi ne m'aimer pas, Madame l'impudente ?

AGNÈS

Mon Dieu, ce n'est pas moi que vous devez blâmer :
1535 Que ne vous êtes-vous, comme lui, fait aimer ?
Je ne vous en ai pas empêché, que je pense.

ARNOLPHE

Je me suis efforcé de toute ma puissance ;
Mais les soins que j'ai pris, je les ai perdus tous.

AGNÈS

Vraiment, il en sait donc là-dessus plus que vous ;
1540 Car à se faire aimer il n'a point eu de peine.

ARNOLPHE

Voyez comme raisonne et répond la vilaine !
Peste ! une précieuse en dirait-elle plus ?
Ah ! je l'ai mal connue ; ou, ma foi ! là-dessus
Une sotte en sait plus que le plus habile homme.
1545 Puisqu'en raisonnement votre esprit se consomme [1],
La belle raisonneuse, est-ce qu'un si long temps
Je vous aurai pour lui nourrie à mes dépens ?

AGNÈS

Non. Il vous rendra tout jusques au dernier double [2].

---

1. *Votre esprit se consomme* : atteint un art consommé, accompli. \ 2. *Double* : pièce de bronze de deux deniers.

ARNOLPHE

Elle a de certains mots où mon dépit redouble.
1550 Me rendra-t-il, coquine, avec tout son pouvoir,
Les obligations que vous pouvez m'avoir ?

AGNÈS

Je ne vous en ai pas d'aussi grandes qu'on pense.

ARNOLPHE

N'est-ce rien que les soins d'élever votre enfance ?

AGNÈS

Vous avez là-dedans bien opéré vraiment,
1555 Et m'avez fait en tout instruire joliment !
Croit-on que je me flatte, et qu'enfin, dans ma tête,
Je ne juge pas bien que je suis une bête ?
Moi-même, j'en ai honte ; et, dans l'âge où je suis,
Je ne veux plus passer pour sotte, si je puis.

ARNOLPHE

1560 Vous fuyez l'ignorance, et voulez, quoi qu'il coûte,
Apprendre du blondin quelque chose ?

AGNÈS

Sans doute.

C'est de lui que je sais ce que je puis savoir :
Et beaucoup plus qu'à vous je pense lui devoir.

ARNOLPHE

Je ne sais qui me tient [1] qu'avec une gourmade [2]
1565 Ma main de ce discours ne venge la bravade.
J'enrage quand je vois sa piquante froideur,
Et quelques coups de poing satisferaient mon cœur.

---

1. *Qui me tient* : ce qui me retient. \ **2.** *Gourmade* : coup de poing (familier et archaïque).

AGNÈS

Hélas! vous le pouvez, si cela peut vous plaire.

ARNOLPHE

Ce mot, et ce regard désarme ma colère,
1570 Et produit un retour de tendresse et de cœur,
Qui de son action m'efface la noirceur.
Chose étrange d'aimer, et que pour ces traîtresses
Les hommes soient sujets à de telles faiblesses!
Tout le monde connaît leur imperfection:
1575 Ce n'est qu'extravagance et qu'indiscrétion;
Leur esprit est méchant, et leur âme fragile;
Il n'est rien de plus faible et de plus imbécile [1],
Rien de plus infidèle: et malgré tout cela,
Dans le monde on fait tout pour ces animaux-là.
1580 Hé bien! faisons la paix. Va, petite traîtresse,
Je te pardonne tout et te rends ma tendresse.
Considère par-là l'amour que j'ai pour toi,
Et me voyant si bon, en revanche aime-moi.

AGNÈS

Du meilleur de mon cœur je voudrais vous complaire:
1585 Que me coûterait-il, si je le pouvais faire?

ARNOLPHE

Mon pauvre petit bec, tu le peux, si tu veux.

Il fait un soupir.

Écoute seulement ce soupir amoureux,
Vois ce regard mourant, contemple ma personne,
Et quitte ce morveux et l'amour qu'il te donne.

---

1. *Imbécile*: faible de corps et d'esprit.

1590 C'est quelque sort qu'il faut qu'il ait jeté sur toi,
Et tu seras cent fois plus heureuse avec moi.
Ta forte passion est d'être brave et leste[1] :
Tu le seras toujours, va, je te le proteste[2],
Sans cesse, nuit et jour, je te caresserai,
1595 Je te bouchonnerai[3], baiserai, mangerai ;
Tout comme tu voudras, tu pourras te conduire :
Je ne m'explique point, et cela, c'est tout dire.

À part.

Jusqu'où la passion peut-elle faire aller !
Enfin à mon amour rien ne peut s'égaler :
1600 Quelle preuve veux-tu que je t'en donne, ingrate ?
Me veux-tu voir pleurer ? Veux-tu que je me batte ?
Veux-tu que je m'arrache un côté de cheveux ?
Veux-tu que je me tue ? Oui, dis si tu le veux :
Je suis tout prêt, cruelle, à te prouver ma flamme.

AGNÈS

1605 Tenez, tous vos discours ne me touchent point l'âme :
Horace avec deux mots en ferait plus que vous.

ARNOLPHE

Ah ! c'est trop me braver, trop pousser mon courroux.
Je suivrai mon dessein, bête trop indocile.
Et vous dénicherez à l'instant de la ville.
1610 Vous rebutez mes vœux et me mettez à bout ;
Mais un cul de couvent[4] me vengera de tout.

---

1. *Brave et leste* : belle et élégante. Les deux adjectifs signalent la noblesse de l'apparence d'Agnès et ont sensiblement le même sens. \ **2.** *Proteste* : promets. \ **3.** *Bouchonnerai* : couvrirai de caresses (familier). \ **4.** *Cul de couvent* : lieu le plus fermé et le mieux gardé du couvent.

Scène V

ARNOLPHE, AGNÈS, ALAIN

ALAIN

Je ne sais ce que c'est, Monsieur, mais il me semble
Qu'Agnès et le corps mort s'en sont allés ensemble.

ARNOLPHE

La voici. Dans ma chambre allez me la nicher :
1615 Ce ne sera pas là qu'il la viendra chercher ;
Et puis, c'est seulement pour une demi-heure :
Je vais, pour lui donner une sûre demeure,
Trouver une voiture. Enfermez-vous des mieux,
Et surtout gardez-vous de la quitter des yeux.
1620 Peut-être que son âme, étant dépaysée,
Pourra de cet amour être désabusée [1].

Scène VI

ARNOLPHE, HORACE

HORACE

Ah ! je viens vous trouver, accablé de douleur.
Le Ciel, Seigneur Arnolphe, a conclu [2] mon malheur ;
Et par un trait fatal d'une injustice extrême,
1625 On me veut arracher de la beauté que j'aime.
Pour arriver ici mon père a pris le frais [3] ;

---

1. *Désabusée* : détrompée. \ **2.** *Conclu* : décidé de. \ **3.** *A pris le frais* : a choisi le moment où la fraîcheur tombe.

J'ai trouvé qu'il mettait pied à terre ici près ;
Et la cause, en un mot, d'une telle venue,
Qui, comme je disais, ne m'était pas connue,
1630 C'est qu'il m'a marié sans m'en récrire rien,
Et qu'il vient en ces lieux célébrer ce lien.
Jugez, en prenant part à mon inquiétude,
S'il pouvait m'arriver un contretemps plus rude.
Cet Enrique, dont hier je m'informais à vous,
1635 Cause tout le malheur dont je ressens les coups ;
Il vient avec mon père achever ma ruine,
Et c'est sa fille unique à qui l'on me destine.
J'ai, dès leurs premiers mots, pensé m'évanouir ;
Et d'abord, sans vouloir plus longtemps les ouïr,
1640 Mon père ayant parlé de vous rendre visite,
L'esprit plein de frayeur je l'ai devancé vite.
De grâce, gardez-vous de lui rien découvrir
De mon engagement qui le pourrait aigrir ;
Et tâchez, comme en vous il prend grande créance [1],
1645 De le dissuader de cette autre alliance.

ARNOLPHE

Oui-da.

HORACE

Conseillez-lui de différer un peu,
Et rendez, en ami, ce service à mon feu.

ARNOLPHE

Je n'y manquerai pas.

---

1. *Créance* : confiance.

HORACE

C'est en vous que j'espère.

ARNOLPHE

Fort bien.

HORACE

Et je vous tiens mon véritable père.
1650 Dites-lui que mon âge… Ah! je le vois venir :
Écoutez les raisons que je vous puis fournir.

Ils demeurent en un coin du théâtre.

Scène VII

ENRIQUE, ORONTE, CHRYSALDE, HORACE, ARNOLPHE

ENRIQUE, *à Chrysalde.*

Aussitôt qu'à mes yeux je vous ai vu paraître,
Quand on ne m'eût rien dit, j'aurais su vous connaître [1].
Je vous vois tous les traits de cette aimable sœur
1655 Dont l'hymen autrefois m'avait fait possesseur ;
Et je serais heureux si la Parque cruelle
M'eût laissé ramener cette épouse fidèle,
Pour jouir avec moi des sensibles douceurs
De revoir tous les siens après nos longs malheurs.
1660 Mais puisque du destin la fatale puissance
Nous prive pour jamais de sa chère présence,
Tâchons de nous résoudre, et de nous contenter
Du seul fruit amoureux qui m'en est pu rester.

---

1. *Connaître* : reconnaître.

Il vous touche de près ; et, sans votre suffrage [1],
1665 J'aurais tort de vouloir disposer de ce gage.
Le choix du fils d'Oronte est glorieux de soi ;
Mais il faut que ce choix vous plaise comme à moi.

CHRYSALDE

C'est de mon jugement avoir mauvaise estime
Que douter si j'approuve un choix si légitime.

ARNOLPHE, *à Horace.*

1670 Oui, je vais vous servir de la bonne façon.

HORACE

Gardez, encor un coup…

ARNOLPHE

N'ayez aucun soupçon.

ORONTE, *à Arnolphe.*

Ah ! que cette embrassade est pleine de tendresse :

ARNOLPHE

Que je sens à vous voir une grande allégresse !

ORONTE

Je suis ici venu…

ARNOLPHE

Sans m'en faire récit
1675 Je sais ce qui vous mène [2].

ORONTE

On vous l'a déjà dit.

---

1. *Suffrage* : accord. \ 2. *Mène* : amène.

ARNOLPHE

Oui.

ORONTE

Tant mieux.

ARNOLPHE

Votre fils à cet hymen résiste,
Et son cœur prévenu[1] n'y voit rien que de triste :
Il m'a même prié de vous en détourner ;
Et moi, tout le conseil que je vous puis donner,
1680 C'est de ne pas souffrir que ce nœud se diffère,
Et de faire valoir l'autorité de père.
Il faut avec vigueur ranger les jeunes gens[2],
Et nous faisons contre eux[3] à leur être indulgents.

HORACE

Ah ! traître !

CHRYSALDE

Si son cœur a quelque répugnance,
1685 Je tiens qu'on ne doit pas lui faire violence.
Mon frère, que je crois[4], sera de mon avis.

ARNOLPHE

Quoi ? se laissera-t-il gouverner par son fils ?
Est-ce que vous voulez qu'un père ait la mollesse
De ne savoir pas faire obéir la jeunesse ?
1690 Il serait beau vraiment qu'on le vît aujourd'hui
Prendre loi de qui doit la recevoir de lui !

---

1. *Prévenu* : plein de préjugés défavorables. \ 2. *Ranger les jeunes gens* : les faire entrer dans le rang, leur faire accepter la discipline. \ 3. *Contre eux* : contre leurs intérêts. \ 4. *Que je crois* : à ce que je crois.

Non, non : c'est mon intime, et sa gloire est la mienne :
Sa parole est donnée, il faut qu'il la maintienne,
Qu'il fasse voir ici de fermes sentiments,
1695 Et force de son fils tous les attachements.

ORONTE

C'est parler comme il faut, et, dans cette alliance,
C'est moi qui vous réponds de son obéissance.

CHRSALDE, à Arnolphe.

Je suis surpris, pour moi, du grand empressement
Que vous me faites voir pour cet engagement,
1700 Et ne puis deviner quel motif vous inspire…

ARNOLPHE

Je sais ce que je fais, et dis ce qu'il faut dire.

ORONTE

Oui, oui, Seigneur Arnolphe, il est…

CHRSALDE

                    Ce nom l'aigrit ;
C'est Monsieur de la Souche, on vous l'a déjà dit.

ARNOLPHE

Il n'importe.

HORACE

    Qu'entends-je !

ARNOLPHE, se retournant vers Horace.

                Oui, c'est là le mystère,
1705 Et vous pouvez juger ce que je devais faire.

HORACE

En quel trouble…

Scène VIII

GEORGETTE, ENRIQUE, ORONTE, CHRYSALDE,
HORACE, ARNOLPHE

GEORGETTE

Monsieur, si vous n'êtes auprès,
Nous aurons de la peine à retenir Agnès ;
Elle veut à tous coups s'échapper, et peut-être
Qu'elle se pourrait bien jeter par la fenêtre.

ARNOLPHE

1710 Faites-la-moi venir ; aussi bien de ce pas
Prétends-je l'emmener ; ne vous en fâchez pas [1].
Un bonheur continu rendrait l'homme superbe [2] ;
Et chacun a son tour, comme dit le proverbe.

HORACE

Quels maux peuvent, ô Ciel ! égaler mes ennuis !
1715 Et s'est-on jamais vu dans l'abîme où je suis !

ARNOLPHE, *à Oronte.*

Pressez vite le jour de la cérémonie :
J'y prends part, et déjà moi-même je m'en prie [3].

ORONTE

C'est bien notre dessein.

---

1. Arnolphe s'adresse à Horace. \ **2.** *Superbe* : orgueilleux. \ **3.** *Je m'en prie* : je m'y invite.

Scène IX

AGNÈS, ALAIN, GEORGETTE, ORONTE, ENRIQUE,
ARNOLPHE, HORACE, CHRYSALDE

ARNOLPHE

Venez, belle, venez,
Qu'on ne saurait tenir, et qui vous mutinez[1].
1720 Voici votre galant, à qui, pour récompense,
Vous pouvez faire une humble et douce révérence.
Adieu. L'événement trompe un peu vos souhaits ;
Mais tous les amoureux ne sont pas satisfaits.

AGNÈS

Me laissez-vous, Horace, emmener de la sorte ?

HORACE

1725 Je ne sais où j'en suis, tant ma douleur est forte.

ARNOLPHE

Allons, causeuse, allons.

AGNÈS

Je veux rester ici.

ORONTE

Dites-nous ce que c'est que ce mystère-ci.
Nous nous regardons tous, sans le pouvoir comprendre.

ARNOLPHE

Avec plus de loisir je pourrai vous l'apprendre.
1730 Jusqu'au revoir.

---

1. *Mutinez* : révoltez.

ORONTE

Où donc prétendez-vous aller ?
Vous ne nous parlez point comme il nous faut parler.

ARNOLPHE

Je vous ai conseillé, malgré tout son murmure,
D'achever l'hyménée.

ORONTE

Oui. Mais pour le conclure,
Si l'on vous a dit tout, ne vous a-t-on pas dit
1735 Que vous avez chez vous celle dont il s'agit,
La fille qu'autrefois de l'aimable Angélique,
Sous des liens secrets, eut le seigneur Enrique ?
Sur quoi votre discours était-il donc fondé ?

CHRYSALDE

Je m'étonnais aussi de voir son procédé.

ARNOLPHE

1740 Quoi ?…

CHRYSALDE

D'un hymen secret ma sœur eut une fille,
Dont on cacha le sort à toute la famille.

ORONTE

Et qui sous de feints noms, pour ne rien découvrir,
Par son époux aux champs fut donnée à nourrir.

CHRYSALDE

Et dans ce temps, le sort, lui déclarant la guerre,
1745 L'obligea de sortir de sa natale terre.

ORONTE

Et d'aller essuyer mille périls divers
Dans ces lieux séparés de nous par tant de mers.

CHRYSALDE

Où ses soins ont gagné ce que dans sa patrie
Avaient pu lui ravir l'imposture et l'envie.

ORONTE

1750 Et de retour en France, il a cherché d'abord,
Celle à qui de sa fille il confia le sort.

CHRYSALDE

Et cette paysanne a dit avec franchise
Qu'en vos mains à quatre ans elle l'avait remise.

ORONTE

Et qu'elle l'avait fait sur votre charité[1],
1755 Par un accablement d'extrême pauvreté.

CHRYSALDE

Et lui, plein de transport et l'allégresse en l'âme,
A fait jusqu'en ces lieux conduire cette femme.

ORONTE

Et vous allez enfin la voir venir ici,
Pour rendre aux yeux de tous ce mystère éclairci.

CHRYSALDE

1760 Je devine à peu près quel est votre supplice ;
Mais le sort en cela ne vous est que propice :
Si n'être point cocu vous semble un si grand bien,
Ne vous point marier en est le vrai moyen.

---

1. *Sur votre charité* : en comptant sur votre charité.

ARNOLPHE, *s'en allant tout transporté et ne pouvant parler.*
Oh[1] !

ORONTE

D'où vient qu'il s'enfuit sans rien dire ?

HORACE

Ah ! mon père,

1765 Vous saurez pleinement ce surprenant mystère.
Le hasard en ces lieux avait exécuté
Ce que votre sagesse avait prémédité :
J'étais par les doux nœuds d'une ardeur mutuelle
Engagé de parole avecque cette belle ;
1770 Et c'est elle, en un mot, que vous venez chercher,
Et pour qui mon refus a pensé vous fâcher.

ENRIQUE

Je n'en ai point douté d'abord que je l'ai vue,
Et mon âme depuis n'a cessé d'être émue.
Ah ! ma fille, je cède à des transports si doux.

CHRYSALDE

1775 J'en ferais de bon cœur, mon frère, autant que vous,
Mais ces lieux et cela ne s'accommodent guère.
Allons dans la maison débrouiller ces mystères,
Payer à notre ami ses soins officieux[2],
Et rendre grâce au Ciel qui fait tout pour le mieux.

---

1. Sur scène, cette interjection a été remplacée par « Ouf ! » dès les premières représentations. Au XVIIᵉ siècle, c'est un cri de douleur, et non de soulagement. \ 2. *Officieux* : secourables, importuns à force d'avoir voulu être obligeants (nuance péjorative et ironique). Il est question de rembourser à Arnolphe les frais que lui a causés l'éducation d'Agnès.

La Critique de l'École des femmes, ou l'éloge de la comédie

La Critique de l'École des femmes est une comédie en un acte et en prose, créée au Théâtre du Palais Royal le vendredi 1er juin 1663. Sans véritable intrigue, elle nous présente surtout une galerie de personnages. Molière répond ainsi à ses adversaires dans la querelle de *L'École des femmes* et défend la comédie face aux accusations dont elle est l'objet.

Le procès de la comédie

Très vite, Molière annonce son intention de répondre aux critiques de *L'École des femmes* dans une « dissertation [qu'il a] faite en dialogue » (préface de *L'École des femmes*). Le théâtre devient un espace de polémique sur le théâtre.

Théâtre et polémique

La Critique de l'École des femmes, réponse de Molière aux critiques, inspire à Boursault une comédie intitulée *Le Portrait du peintre, ou la Contre-critique de l'École des femmes* (fin septembre ou début octobre 1663). Le 14 octobre 1663, Molière réplique par *L'Impromptu de Versailles*, joué devant le roi. Cette petite pièce en un acte lui permet de railler à la fois Boursault et les comédiens concurrents de l'Hôtel de Bourgogne. Elle est, pour le dramaturge, une conclusion provisoire à la querelle de

L'École des femmes, dont on peut toutefois considérer que *Tartuffe* (1664, pour la première version), en raillant l'hypocrisie d'un faux dévot cupide et sensuel, propose un prolongement indirect.

De l'efficacité de la comédie comme arme contre les censeurs

Avec plus d'efficacité qu'un long discours, *La Critique* met plaisamment en scène les débats qui agitent le public de *L'École des femmes*. Elle rend évidente la fragilité des accusations portées contre la pièce, fondées sur l'excessive pudeur, voire sur la bêtise des accusateurs. Dans la dernière scène, chaque personnage pense pourtant s'être présenté à son avantage, et les points de vue n'ont pas évolué. C'est pourquoi Dorante propose ce sommaire pour la pièce, dont le dénouement annonce l'écriture : « On disputera fort et ferme de part et d'autre, comme nous avons fait, sans que personne se rende ; un petit laquais viendra dire qu'on a servi ; on se lèvera, et chacun ira souper » (scène VII et dernière). Pour Molière, la comédie serait impuissante à faire changer d'avis les censeurs, opiniâtres et dépourvus de souplesse d'esprit. La pièce aurait plus modestement pour fonction de relativiser la gravité de la dispute, voire d'y mettre un terme, en rappelant à chacun la vertu des plaisirs simples, naturels et universels, tels que le rire et le « souper ». Le retour du corps et des nourritures terrestres sur la scène est la condition *in extremis* de la réconciliation espérée et se révèle être la seule conclusion possible à une polémique à laquelle l'intelligence et le bon sens ne sauraient seuls mettre un terme.

La comédie du procès

Dans le cadre mondain d'un salon, la pièce fait s'opposer les défenseurs et les adversaires de *L'École des femmes*. Elle donne une image du public de la pièce et de sa réception.

Le ridicule de l'accusation

Climène, Lysidas et le Marquis se rangent dans le camp des opposants farouches à la pièce. Climène est une précieuse, qu'Élise qualifie d'emblée de « sotte bête » et de « façonnière » (scène II). Avant son arrivée sur scène, son portrait en marionnette stigmatise son manque de spontanéité, lié à un souci ridicule de maîtrise sur le corps, commun aux précieuses. Elle est décrite comme l'actrice de sa propre vie. Sa visite, qui déplaît à Uranie aussi bien qu'à Élise, introduit toutefois le débat sur *L'École des femmes*, à la scène III. De retour d'une représentation au Palais-Royal, elle semble sous le choc et affecte un malaise physique intense, qui n'inspire à Élise qu'une ironie cinglante. Uranie, qui défend une sociabilité moins intransigeante, s'efforce de redonner à Climène le sens de la mesure. Mais celle-ci ne cesse de faire la démonstration des excès ridicules de sa pudeur, choquée en particulier par la scène du « le ». Ses critiques sont fondées sur des affirmations imprécises et sur la citation de quelques expressions sorties de leur contexte, telles que « les enfants par l'oreille » ou « tarte à la crème ». Climène use d'images liées à la nourriture dont elle a pourtant déploré le mauvais goût, dans la pièce de Molière. C'est ainsi qu'elle conclut l'une de ses répliques : « la *tarte à la crème* m'a affadi le cœur ; et j'ai pensé vomir au *potage* » (scène III). Son discours ne saurait donc être pris au sérieux.

Le Marquis, qualifié de « turlupin » par Élise (scène II), fait son apparition dans la scène IV. Il revient lui aussi de la représentation de *L'École des femmes*. Ce personnage, auquel il n'est pas attribué d'identité plus précise, répond au type du petit marquis, souvent présent dans les comédies de Molière. Il porte les attributs vestimentaires habituels des jeunes élégants de son rang : les « canons » et les « rubans » (scène IV). Dans un court passage farcesque, Molière met en évidence son ridicule en le confrontant au personnage du valet Galopin, qui lui manifeste son mépris. Prétentieux, superficiel et sot, le marquis ne trouve d'abord à se plaindre que de la foule qu'il a rencontrée lors de la représentation et qui aurait porté atteinte à l'élégance de son costume. Il signale ainsi, sans le savoir, le succès de la pièce. Dans la scène VI, il en est réduit à chantonner, après avoir demandé sans succès à Dorante de se taire. Son refus du dialogue raisonnable que lui propose Dorante prouve son échec intellectuel, autant que l'échec des avocats de la pièce, qui se heurtent à la puérilité ou à l'obstination de leurs adversaires, figés dans leurs préjugés.

Lysidas, poète lui-même, n'arrive sur scène qu'à la scène VI. Il se présente comme un homme averti, capable d'appuyer son jugement sur sa propre expérience de l'écriture. Il refuse d'abord de critiquer trop sévèrement la pièce, en affectant la solidarité avec un auteur. C'est en fait le genre comique qu'il réprouve, pour des raisons à la fois esthétiques et morales. Au nom des règles d'Aristote et d'Horace, il refuse le plaisir de rire au théâtre. Dogmatique et pédant, il offre l'image des auteurs ambitieux et médiocres, qui critiquent la pièce de Molière au moins autant par jalousie que par conviction personnelle. Après avoir exprimé de feintes réticences, il évoque avec virulence les reproches d'immoralité et d'irrespect à l'égard de la religion dont la pièce a été l'objet et fait provisoirement triompher l'accusation.

L'honnêteté des avocats

Élise, femme d'esprit goûtant les plaisirs d'une compagnie choisie, feint de prendre le parti de l'accusation. Mais c'est avec la plus grande ironie qu'elle traite Climène et le Marquis. À Climène, dont elle a sévèrement critiqué les excès précieux dans la scène II, elle va même jusqu'à faire cette déclaration : « je suis si remplie de vous, que je tâche d'être votre singe, et de vous contrefaire en tout. » À la scène III, Élise, elle-même excessive, ne peut être élevée au rang de porte-parole de Molière. Tout au long de la pièce, dans une posture qui pourrait être rapprochée de celle d'Alceste, misanthrope dont Molière crée le personnage en 1666, elle n'est que la spectatrice agacée d'un débat auquel, non sans quelque prétention, elle ne daigne pas véritablement participer.

Sa cousine Uranie, lucide, mais très sociable et plus modérée, accueille sur le théâtre de son salon tous les personnages de la pièce, qu'elle met en scène avec amusement et naturel. Elle a cette sagesse : « Je goûte ceux qui sont raisonnables, et me divertis des extravagants » (scène I). Elle a de l'estime pour Dorante, dont elle partage les opinions : avec clarté et simplicité, elle défend elle aussi le plaisir de la comédie, contre les contraintes abusives des règles. Elle semble attendre le soutien de ce double masculin, dont les fermes raisonnements imposent le silence à Climène et au Marquis. C'est toutefois elle qui a l'idée de faire de leur dispute une « petite comédie », « à la queue de L'École des femmes » (scène VI). Elle a le dernier mot et la présence d'esprit d'imposer à la pièce son dénouement, après les longues répliques de Dorante et l'impasse dans laquelle son argumentation a précipité la discussion. Face aux discours de justification des uns et à la surdité des autres, le choix du théâtre et de la comédie semble être le seul susceptible de conjurer véritablement le risque de la violence, au moment où la parole se révèle impossible et tristement impuissante.

Dorante, en honnête homme, s'efforce d'abord d'entendre les critiques faites à la pièce, avant d'y répondre avec calme, mesure et modestie. Il prend le parti du public, y compris du parterre, qui a pris plaisir à la représentation et dont il défend le bon sens. Il critique au contraire les préjugés et les « ébullitions de cerveau » (scène V) de ceux qui se considèrent comme des doctes. Les précieuses ne trouvent pas davantage grâce à ses yeux. C'est lui qui se révèle être l'avocat le plus convaincant de Molière. Pour lui, les récits de la pièce ont une fonction narrative : ils font progresser l'action. De nombreuses expressions supposées choquantes peuvent également être justifiées par l'extravagance d'Arnolphe. Dorante défend *L'École des femmes*, mais surtout, plus largement, la comédie. Les règles classiques, telles qu'Aristote et Horace ont permis de les définir, ne sauraient, pour lui comme pour Molière, constituer une référence absolue. Dans le respect de quelques règles dictées au moins autant par le bon sens que par les Anciens, le dramaturge doit écrire avant tout pour le plaisir du public.

En répondant à la critique du comique par une comédie, Molière réaffirme la légitimité de ses choix. Il montre que les accusations portées contre *L'École des femmes* reposent sur une conception figée et formaliste du théâtre. Certains auteurs, malgré leur insuccès auprès du public, s'obstinent à défendre l'obéissance à des règles savantes qui masquent leur médiocrité et dont la connaissance est censée justifier leur prétention à la supériorité. Ils ne craignent pas de mettre en danger le théâtre, au nom d'un « savoir enrouillé » (scène VI), pour se donner l'illusion de leur pouvoir.

Molière plaide pour un juste équilibre entre l'irrévérence coupable et un respect des Anciens idolâtre et oublieux du présent. Il considère que *L'École des femmes* est une comédie régulière, car les règles sont écrites pour concourir à ces objectifs essentiels : plaire et instruire, que la pièce réalise parfaitement. En donnant la parole au public, *La Critique* nous rappelle que le théâtre, loin des théories de « Messieurs les experts » (scène VI), est une question de sentiments et de sensations. C'est le corps qui reçoit la représentation, bien avant l'esprit. La visée morale d'une pièce repose donc sur son pouvoir de séduction : il faut plaire, pour mieux instruire et pour mieux « entrer [...] dans le ridicule des hommes » (scène VI).

Pour les pédants, les précieux, les dévots, le prix à payer, inacceptable, est de revenir sur une hiérarchie artificielle qui pose la prédominance de l'esprit sur le corps, et qui impose le refoulement des passions, supposées coupables. Pour Molière, ce choix du plaisir est celui de la vie, de la confiance en l'homme, et de l'amour du théâtre.

LA CRITIQUE
DE L'ÉCOLE DES FEMMES

Comédie

À la Reine Mère[1]

Madame,

Je sais bien que Votre Majesté n'a que faire de toutes nos dédicaces, et que ces prétendus devoirs, dont on lui dit élégamment qu'on s'acquitte envers Elle, sont des hommages, à dire vrai, dont Elle nous dispenserait très volontiers. Mais je ne laisse pas d'avoir l'audace[2] de lui dédier *La Critique de l'École des femmes* ; et je n'ai pu refuser cette petite occasion de pouvoir témoigner ma joie à Votre Majesté sur cette heureuse convalescence, qui redonne à nos vœux la plus grande et la meilleure princesse du monde, et nous promet en Elle de longues années d'une santé vigoureuse[3]. Comme chacun regarde les choses du côté de ce qui le touche, je me réjouis, dans cette allégresse générale, de pouvoir encore obtenir l'honneur de divertir Votre Majesté ; Elle, Madame, qui prouve si bien que la véritable dévotion n'est point contraire aux honnêtes divertissements[4] ; qui, de ses hautes pensées et de ses importantes occupations,

---

1. Dédicace à Anne d'Autriche (1601-1666), mère de Louis XIV. Très dévote, elle est proche de la compagnie du Saint-Sacrement, hostile à la pièce. Molière tient à gagner son soutien, pour montrer que les attaques dont il est l'objet sont l'expression des excès religieux d'une minorité, et non de la véritable dévotion. \ **2.** *Ne pas laisser de* : ne pas manquer de. \ **3.** La Reine Mère était d'une santé fragile. Elle meurt en 1666 d'un cancer du sein. \ **4.** Anne d'Autriche appréciait le théâtre.

descend si humainement dans le plaisir de nos spectacles et ne dédaigne pas de rire de cette même bouche dont Elle prie si bien Dieu. Je flatte, dis-je, mon esprit de l'espérance de cette gloire ; j'en attends le moment avec toutes les impatiences du monde ; et quand je jouirai de ce bonheur, ce sera la plus grande joie que je puisse recevoir,

Madame,

De Votre Majesté,

Le très humble, très obéissant et très fidèle serviteur et sujet,

J.-B. P. Molière.

Les personnages

URANIE [1]

ÉLISE [2]

CLIMÈNE [3]

GALOPIN, laquais

LE MARQUIS [4]

DORANTE ou LE CHEVALIER [5]

LYSIDAS, poète [6]

---

1. Nom de la muse de l'astronomie. Personnage savant et distingué. Rôle probablement tenu par Mlle de Brie. \ **2.** Rôle créé par Mlle Molière. \ **3.** Rôle tenu par Mlle Du Parc. \ **4.** On ne sait qui tenait ce rôle. \ **5.** Rôle créé par Brécourt. \ **6.** Nom de Parnasse très fréquent. Rôle probablement tenu par Du Croisy.

Scène première

URANIE, ÉLISE

URANIE. – Quoi ? Cousine, personne ne t'est venu rendre visite ?

ÉLISE. – Personne du monde [1].

URANIE. – Vraiment, voilà qui m'étonne, que nous ayons été
5   seules l'une et l'autre tout aujourd'hui.

ÉLISE. – Cela m'étonne aussi, car ce n'est guère notre coutume ;
et votre maison, Dieu merci, est le refuge ordinaire de tous
les fainéants de la cour.

URANIE. – L'après-dînée [2], à dire vrai, m'a semblé fort longue.

10 ÉLISE. – Et moi, je l'ai trouvée fort courte.

URANIE. – C'est que les beaux esprits, Cousine, aiment la
solitude.

ÉLISE. – Ah ! très humble servante au bel esprit ; vous savez
que ce n'est pas là que je vise.

15 URANIE. – Pour moi, j'aime la compagnie, je l'avoue.

ÉLISE. – Je l'aime aussi, mais je l'aime choisie ; et la quantité
des sottes visites qu'il vous faut essuyer parmi les autres est
cause bien souvent que je prends plaisir d'être seule.

URANIE. – La délicatesse [3] est trop grande, de ne pouvoir souf-
20 frir que des gens triés.

---

1. *Du monde* : de la bonne société. \ 2. *L'après-dînée* : l'après-midi. \ 3. *Délicatesse* : scrupule,
souci excessif du raffinement.

ÉLISE. — Et la complaisance est trop générale, de souffrir indifféremment toutes sortes de personnes.

URANIE. — Je goûte ceux qui sont raisonnables, et me divertis des extravagants.

25 ÉLISE. — Ma foi, les extravagants ne vont guère loin sans vous ennuyer, et la plupart de ces gens-là ne sont plus plaisants dès la seconde visite. Mais à propos d'extravagants, ne voulez-vous pas me défaire de votre marquis incommode ? Pensez-vous me le laisser toujours sur les bras, et que je

30 puisse durer à ses turlupinades [1] perpétuelles ?

URANIE. — Ce langage est à la mode, et l'on le tourne en plaisanterie à la cour.

ÉLISE. — Tant pis pour ceux qui le font, et qui se tuent tout le jour à parler ce jargon obscur. La belle chose de faire entrer

35 aux conversations du Louvre de vieilles équivoques ramassées parmi les boues des halles et de la place Maubert [2] ! La jolie façon de plaisanter pour des courtisans ! et qu'un homme montre d'esprit lorsqu'il vient vous dire : « Madame, vous êtes dans la place Royale [3], et tout le monde vous voit de trois

40 lieues de Paris, car chacun vous voit de bon œil », à cause que Boneuil [4] est un village à trois lieues d'ici ! Cela n'est-il pas bien galant et bien spirituel ? Et ceux qui trouvent ces belles rencontres, n'ont-ils pas lieu de s'en glorifier ?

URANIE. — On ne dit pas cela aussi comme une chose spiritu-

45 elle ; et la plupart de ceux qui affectent ce langage savent bien eux-mêmes qu'il est ridicule.

---

1. Turlupin était un célèbre comédien parisien, qui faisait rire avec des calembours parfois méchants, ou *turlupinades*. \ 2. Quartier populaire, de même que les Halles. Le marquis se pique de reprendre les plaisanteries populaires, se croyant ainsi à la mode. Cette habitude, pour Élise, ne signale rien d'autre que sa vulgarité et sa bêtise. \ 3. Actuelle place des Vosges à Paris. \ 4. Bonneuil-sur-Marne, canton de Charenton.

ÉLISE. – Tant pis encore, de prendre peine à dire des sottises, et d'être mauvais plaisants de dessein formé[1]. Je les en tiens moins excusables ; et si j'en étais juge, je sais bien à quoi je condamnerais tous ces messieurs les turlupins.

URANIE. – Laissons cette matière qui t'échauffe un peu trop, et disons que Dorante vient bien tard, à mon avis, pour le souper que nous devons faire ensemble.

ÉLISE. – Peut-être l'a-t-il oublié, et que…

Scène II

GALOPIN, URANIE, ÉLISE

GALOPIN. – Voilà Climène, Madame, qui vient ici pour vous voir.

URANIE. – Eh, mon Dieu ! quelle visite !

ÉLISE. – Vous vous plaigniez d'être seule aussi : le Ciel vous en punit.

URANIE. – Vite, qu'on aille dire que je n'y suis pas.

GALOPIN. – On a déjà dit que vous y étiez.

URANIE. – Et qui est le sot qui l'a dit ?

GALOPIN. – Moi, Madame.

URANIE. – Diantre soit le petit vilain[2] ! Je vous apprendrai bien à faire vos réponses de vous-même.

GALOPIN. – Je vais lui dire, Madame, que vous voulez être sortie.

URANIE. – Arrêtez, animal, et la laissez monter, puisque la sottise est faite.

---

1. *De dessein formé* : en ayant eu le projet de l'être, à dessein. \ **2.** *Vilain* : paysan, homme de basse condition peu rompu aux usages du monde.

GALOPIN. – Elle parle encore à un homme dans la rue.

70 URANIE. – Ah ! cousine, que cette visite m'embarrasse à l'heure qu'il est !

ÉLISE. – Il est vrai que la dame est un peu embarrassante de son naturel ; j'ai toujours eu pour elle une furieuse aversion ;

75 et, n'en déplaise à sa qualité, c'est la plus sotte bête qui se soit jamais mêlée de raisonner.

URANIE. – L'épithète[1] est un peu forte.

ÉLISE. – Allez, allez, elle mérite bien cela, et quelque chose de plus, si on lui faisait justice. Est-ce qu'il y a une personne qui

80 soit plus véritablement qu'elle ce qu'on appelle précieuse[2], à prendre le mot dans sa plus mauvaise signification ?

URANIE. – Elle se défend bien de ce nom pourtant.

ÉLISE. – Il est vrai : elle se défend du nom, mais non pas de la chose ; car enfin elle l'est depuis les pieds jusqu'à la tête, et la plus grande façonnière[3] du monde. Il semble que tout son corps soit démonté, et que les mouvements de ses hanches, de ses épaules et de sa tête n'aillent que par ressorts. Elle affecte toujours un ton de voix languissant et niais, fait la moue pour montrer une petite bouche, et roule les yeux pour

85 les faire paraître grands.

URANIE. – Doucement donc : si elle venait à entendre…

ÉLISE. – Point, point, elle ne monte pas encore. Je me souviens toujours du soir qu'elle eut envie de voir Damon[4], sur la réputation qu'on lui donne, et les choses que le public a vues

90 de lui. Vous connaissez l'homme, et sa naturelle paresse à soutenir la conversation. Elle l'avait invité à souper comme

---

1. Renvoie à « sotte ». \ **2.** *Précieuse* : femme raffinée, qui adopte un mode de vie et un langage censés être supérieurs à ceux du commun. \ **3.** *Façonnière* : personne qui fait trop de manières. \ **4.** Nom de Parnasse banal.

bel esprit, et jamais il ne parut si sot, parmi une demi-
douzaine de gens à qui elle avait fait fête de lui, et qui le
regardaient avec de grands yeux, comme une personne qui
95 ne devait pas être faite comme les autres. Ils pensaient tous
qu'il était là pour défrayer la compagnie de bons mots[1], que
chaque parole qui sortait de sa bouche devait être extraordinaire, qu'il devait faire des *Impromptus*[2] sur tout ce qu'on
disait, et ne demander à boire qu'avec une pointe[3]. Mais il
100 les trompa fort par son silence; et la dame fut aussi mal
satisfaite de lui que je le fus d'elle.

URANIE. – Tais-toi. Je vais la recevoir à la porte de la chambre.

ÉLISE. – Encore un mot. Je voudrais bien la voir mariée avec
le marquis dont nous avons parlé : le bel assemblage que ce
105 serait d'une précieuse et d'un turlupin !

URANIE. – Veux-tu te taire ? la voici.

Scène III

CLIMÈNE, URANIE, ÉLISE, GALOPIN

URANIE. – Vraiment, c'est bien tard que…

CLIMÈNE. – Eh ! de grâce, ma chère, faites-moi vite donner
un siège.

110 URANIE. – Un fauteuil promptement.

CLIMÈNE. – Ah ! mon Dieu !

URANIE. – Qu'est-ce donc ?

CLIMÈNE. – Je n'en puis plus.

---

1. *Défrayer la compagnie de bons mots* : amuser la compagnie. \ **2.** *Impromptus* : traits d'esprit improvisés, faits sans préparation. \ **3.** *Pointe* : trait d'esprit, jeu de mots.

URANIE. – Qu'avez-vous ?

115 CLIMÈNE. – Le cœur me manque.

URANIE. – Sont-ce vapeurs qui vous ont prise ?

CLIMÈNE. – Non.

URANIE. – Voulez-vous que l'on vous délace[1] ?

CLIMÈNE. – Mon Dieu non. Ah !

120 URANIE. – Quel est donc votre mal ? et depuis quand vous a-t-il pris ?

CLIMÈNE. – Il y a plus de trois heures, et je l'ai rapporté du Palais-Royal[2].

URANIE. – Comment ?

125 CLIMÈNE. – Je viens de voir, pour mes péchés, cette méchante rapsodie[3] de *L'École des femmes*. Je suis encore en défaillance du mal de cœur que cela m'a donné, et je pense que je n'en reviendrai de plus de quinze jours.

ÉLISE. – Voyez un peu comme les maladies arrivent sans qu'on
130 y songe.

URANIE. – Je ne sais pas de quel tempérament nous sommes, ma cousine et moi ; mais nous fûmes avant-hier à la même pièce, et nous en revînmes toutes deux saines et gaillardes.

CLIMÈNE. – Quoi ? vous l'avez vue ?

135 URANIE. – Oui ; et écoutée d'un bout à l'autre.

CLIMÈNE. – Et vous n'en avez pas été jusques aux convulsions, ma chère ?

URANIE. – Je ne suis pas si délicate, Dieu merci ; et je trouve, pour moi, que cette comédie serait plutôt capable de guérir
140 les gens que de les rendre malades.

---

1. *Que l'on vous délace* : que l'on délace votre corset. \ 2. Salle que Molière partage avec les Italiens. \ 3. *Rapsodie* : terme méprisant, assimilant l'œuvre de Molière à un assemblage de vers médiocres et empruntés.

CLIMÈNE. – Ah mon Dieu ! que dites-vous là ? Cette proposition peut-elle être avancée par une personne qui ait du revenu en sens commun ? Peut-on impunément, comme vous faites, rompre en visière[1] à la raison ? Et dans le vrai

145 de la chose, est-il un esprit si affamé de plaisanterie, qu'il puisse tâter des fadaises dont cette comédie est assaisonnée ? Pour moi, je vous avoue que je n'ai pas trouvé le moindre grain de sel dans tout cela. *Les enfants par l'oreille* m'ont paru d'un goût détestable ; la *tarte à la crème* m'a affadi le cœur ;

150 et j'ai pensé vomir au *potage*[2].

ÉLISE. – Mon Dieu ! que tout cela est dit élégamment ! J'aurais cru que cette pièce était bonne ; mais Madame a une éloquence si persuasive, elle tourne les choses d'une manière si agréable, qu'il faut être de son sentiment, malgré qu'on en ait[3].

155 URANIE. – Pour moi, je n'ai pas tant de complaisance ; et, pour dire ma pensée, je tiens cette comédie une des plus plaisantes que l'auteur ait produites.

CLIMÈNE. – Ah ! vous me faites pitié, de parler ainsi ; et je ne saurais vous souffrir cette obscurité de discernement. Peut-on,

160 ayant de la vertu, trouver de l'agrément dans une pièce qui tient sans cesse la pudeur en alarme, et salit à tous moments l'imagination ?

ÉLISE. – Les jolies façons de parler que voilà ! Que vous êtes, Madame, une rude joueuse en critique, et que je plains le

165 pauvre Molière de vous avoir pour ennemie !

CLIMÈNE. – Croyez-moi, ma chère, corrigez de bonne foi votre jugement ; et pour votre honneur, n'allez point dire par le monde que cette comédie vous ait plu.

---

1. *Rompre en visière* : contredire en face. \ **2.** Allusions à *L'École des femmes* (v. 164 et 1493, v. 99, v. 430-439). \ **3.** *Malgré qu'on en ait* : même si c'est à contrecœur.

URANIE. – Moi, je ne sais pas ce que vous y avez trouvé qui
170   blesse la pudeur.

CLIMÈNE. – Hélas ! tout ; et je mets en fait qu'une honnête
femme ne la saurait voir sans confusion, tant j'y ai découvert d'ordures et de saletés[1].

URANIE. – Il faut donc que pour les ordures vous ayez des
175   lumières que les autres n'ont pas ; car, pour moi, je n'y en
ai point vu.

CLIMÈNE. – C'est que vous ne voulez pas y en avoir vu, assurément ; car enfin toutes ces ordures, Dieu merci, y sont à
visage découvert. Elles n'ont pas la moindre enveloppe qui
180   les couvre, et les yeux les plus hardis sont effrayés de leur
nudité.

ÉLISE. – Ah !

CLIMÈNE. – Hay, hay, hay.

URANIE. – Mais encore, s'il vous plaît, marquez-moi une de
185   ces ordures que vous dites.

CLIMÈNE. – Hélas ! est-il nécessaire de vous les marquer ?

URANIE. – Oui. Je vous demande seulement un endroit qui
vous ait fort choquée.

CLIMÈNE. – En faut-il d'autre que la scène de cette Agnès,
190   lorsqu'elle dit ce que l'on lui a pris[2] ?

URANIE. – Eh bien ! que trouvez-vous là de sale ?

CLIMÈNE. – Ah !

URANIE. – De grâce ?

CLIMÈNE. – Fi !

195 URANIE. – Mais encore ?

CLIMÈNE. – Je n'ai rien à vous dire.

---

1. Référence à la supposée obscénité de l'œuvre. \ **2.** Climène consent enfin à désigner clairement la scène du « le » (II, 5), qui a choqué sa pudeur.

URANIE. — Pour moi, je n'y entends point de mal[1].

CLIMÈNE. — Tant pis pour vous.

URANIE. — Tant mieux plutôt, ce me semble. Je regarde les
choses du côté qu'on me les montre, et ne les tourne point
pour y chercher ce qu'il ne faut pas voir.

CLIMÈNE. — L'honnêteté d'une femme…

URANIE. — L'honnêteté d'une femme n'est pas dans les
grimaces. Il sied mal de vouloir être plus sage que celles
qui sont sages. L'affectation en cette matière est pire qu'en
toute autre ; et je ne vois rien de si ridicule que cette délicatesse d'honneur qui prend tout en mauvaise part, donne
un sens criminel aux plus innocentes paroles, et s'offense
de l'ombre des choses. Croyez-moi, celles qui font tant de
façons n'en sont pas estimées plus femmes de bien. Au
contraire, leur sévérité mystérieuse et leurs grimaces affec-
tées irritent la censure[2] de tout le monde contre les actions
de leur vie. On est ravi de découvrir ce qu'il y peut avoir à
redire ; et, pour tomber dans l'exemple, il y avait l'autre
jour des femmes à cette comédie, vis-à-vis de la loge où
nous étions, qui par les mines qu'elles affectèrent durant
toute la pièce, leurs détournements de tête, et leurs cache-
ments de visage, firent dire de tous côtés cent sottises
de leur conduite, que l'on n'aurait pas dites sans cela ; et
quelqu'un même des laquais cria tout haut qu'elles étaient
plus chastes des oreilles que de tout le reste du corps.

CLIMÈNE. — Enfin il faut être aveugle dans cette pièce, et ne
pas faire semblant d'y voir les choses.

URANIE. — Il ne faut pas y vouloir voir ce qui n'y est pas.

---

1. Uranie feint de ne pas comprendre la nature sexuelle de l'équivoque présente dans cette scène. \ 2. *Censure* : condamnation morale.

225 CLIMÈNE. – Ah ! je soutiens, encore un coup, que les saletés
y crèvent les yeux.

URANIE. – Et moi, je ne demeure pas d'accord de cela.

CLIMÈNE. – Quoi ? la pudeur n'est pas visiblement blessée par
ce que dit Agnès dans l'endroit dont nous parlons ?

230 URANIE. – Non, vraiment. Elle ne dit pas un mot qui de soi[1] ne
soit fort honnête ; et si vous voulez entendre dessous quelque
autre chose, c'est vous qui faites l'ordure, et non pas elle,
puisqu'elle parle seulement d'un ruban qu'on lui a pris.

CLIMÈNE. – Ah ! ruban tant qu'il vous plaira ; mais ce *le*, où
235 elle s'arrête, n'est pas mis pour des prunes. Il vient sur ce *le*
d'étranges pensées. Ce *le* scandalise furieusement ; et, quoi
que vous puissiez dire, vous ne sauriez défendre l'insolence
de ce *le*.

ÉLISE : Il est vrai, ma cousine, je suis pour Madame contre ce
240 *le*. Ce *le* est insolent au dernier point, et vous avez tort de
défendre ce *le*.

CLIMÈNE. – Il a une obscénité qui n'est pas supportable.

ÉLISE. – Comment dites-vous ce mot-là, Madame ?

CLIMÈNE. – Obscénité, Madame.

245 ÉLISE. – Ah ! mon Dieu ! obscénité. Je ne sais ce que ce mot
veut dire ; mais je le trouve le plus joli du monde[2].

CLIMÈNE. – Enfin, vous voyez comme votre sang[3] prend mon
parti.

URANIE. – Eh mon Dieu ! c'est une causeuse qui ne dit pas ce
250 qu'elle pense. Ne vous y fiez pas beaucoup, si vous m'en
voulez croire.

---

1. *De soi* : en lui-même. \ 2. Élise comprend ce terme, dérivé de l'adjectif « obscène », connu depuis le XVIᵉ siècle. Mais « obscénité » est, à cette époque, un néologisme. \ 3. Uranie et Élise sont de la même famille : elles sont cousines.

ÉLISE. — Ah ! que vous êtes méchante, de me vouloir rendre suspecte à Madame ! Voyez un peu où j'en serais, si elle allait croire ce que vous dites. Serais-je si malheureuse,
255 Madame, que vous eussiez de moi cette pensée ?

CLIMÈNE. — Non, non. Je ne m'arrête pas à ses paroles, et je vous crois plus sincère qu'elle ne dit.

ÉLISE. — Ah ! que vous avez bien raison, Madame, et que vous me rendrez justice, quand vous croirez que je vous trouve
260 la plus engageante[1] personne du monde, que j'entre dans tous vos sentiments et suis charmée de toutes les expressions qui sortent de votre bouche !

CLIMÈNE. — Hélas ! je parle sans affectation.

ÉLISE. — On le voit bien, Madame, et que tout est naturel en
265 vous. Vos paroles, le ton de votre voix, vos regards, vos pas, votre action et votre ajustement, ont je ne sais quel air de qualité, qui enchante les gens. Je vous étudie des yeux et des oreilles ; et je suis si remplie de vous, que je tâche d'être votre singe, et de vous contrefaire en tout[2].

270 CLIMÈNE. — Vous vous moquez de moi, Madame.

ÉLISE. — Pardonnez-moi, Madame. Qui voudrait se moquer de vous ?

CLIMÈNE. — Je ne suis pas un bon modèle, Madame.

ÉLISE. — Oh ! que si, Madame !

275 CLIMÈNE. — Vous me flattez, Madame.

ÉLISE. — Point du tout, Madame.

CLIMÈNE. — Épargnez-moi, s'il vous plaît, Madame.

ÉLISE. — Je vous épargne aussi, Madame, et je ne dis pas la moitié de ce que je pense, Madame.

---

1. *Engageante* : séduisante et convaincante. \ 2. *Contrefaire* : imiter, singer.

280 CLIMÈNE. — Ah mon Dieu ! brisons là [1], de grâce. Vous me jetteriez dans une confusion épouvantable. *(À Uranie.)* Enfin, nous voilà deux contre vous, et l'opiniâtreté sied si mal aux personnes spirituelles...

Scène IV

LE MARQUIS, CLIMÈNE, GALOPIN, URANIE, ÉLISE

GALOPIN. — Arrêtez, s'il vous plaît, Monsieur.

285 LE MARQUIS. — Tu ne me connais pas, sans doute ?

GALOPIN. — Si fait, je vous connais ; mais vous n'entrerez pas.

LE MARQUIS. — Ah ! que de bruit, petit laquais !

GALOPIN. — Cela n'est pas bien de vouloir entrer malgré les 290 gens.

LE MARQUIS. — Je veux voir ta maîtresse.

GALOPIN. — Elle n'y est pas, vous dis-je.

LE MARQUIS. — La voilà dans la chambre.

GALOPIN. — Il est vrai, la voilà ; mais elle n'y est pas.

295 URANIE. — Qu'est-ce donc qu'il y a là ?

LE MARQUIS. — C'est votre laquais, Madame, qui fait le sot.

GALOPIN. — Je lui dis que vous n'y êtes pas, Madame, et il ne veut pas laisser d'entrer.

URANIE. — Et pourquoi dire à Monsieur que je n'y suis 300 pas ?

GALOPIN. — Vous me grondâtes, l'autre jour, de lui avoir dit que vous y étiez.

---

1. *Brisons là* : mettons un terme à cette conversation.

URANIE. – Voyez cet insolent ! Je vous prie, Monsieur, de ne pas croire ce qu'il dit. C'est un petit écervelé, qui vous a
305 pris pour un autre.

LE MARQUIS. – Je l'ai bien vu, Madame ; et, sans votre respect, je lui aurais appris à connaître les gens de qualité.

ÉLISE. – Ma cousine vous est fort obligée de cette déférence.

URANIE. – Un siège donc, impertinent.

310 GALOPIN. – N'en voilà-t-il pas un ?

URANIE. – Approchez-le.

Le petit laquais pousse le siège rudement.

LE MARQUIS. – Votre petit laquais, Madame, a du mépris pour ma personne.

315 ÉLISE. – Il aurait tort, sans doute.

LE MARQUIS. – C'est peut-être que je paye l'intérêt de ma mauvaise mine : hay, hay, hay, hay.

ÉLISE. – L'âge le rendra plus éclairé en honnêtes gens.

LE MARQUIS. – Sur quoi en étiez-vous [1], Mesdames, lorsque je
320 vous ai interrompues ?

URANIE. – Sur la comédie de *L'École des femmes*.

LE MARQUIS. – Je ne fais que d'en sortir.

CLIMÈNE. – Eh bien ! Monsieur, comment la trouvez-vous, s'il vous plaît ?

325 LE MARQUIS. – Tout à fait impertinente [2].

CLIMÈNE. – Ah ! que j'en suis ravie !

LE MARQUIS. – C'est la plus méchante chose du monde. Comment, diable ! à peine ai-je pu trouver place ; j'ai pensé être étouffé à la porte, et jamais on ne m'a tant marché sur

---

1. *Sur quoi en étiez-vous ?* : quel était l'objet de votre conversation ? \ 2. *Impertinente* : contraire à la bienséance, inconvenante.

330 les pieds. Voyez comme mes canons et mes rubans [1] en sont
ajustés, de grâce.

ÉLISE. – Il est vrai que cela crie vengeance contre *L'École des
femmes*, et que vous la condamnez avec justice.

LE MARQUIS. – Il ne s'est jamais fait, je pense, une si méchante
335 comédie.

URANIE. – Ah ! voici Dorante que nous attendions.

Scène V

DORANTE, LE MARQUIS, CLIMÈNE, ÉLISE, URANIE

DORANTE. – Ne bougez, de grâce, et n'interrompez point
votre discours. Vous êtes là sur une matière qui, depuis
quatre jours, fait presque l'entretien de toutes les maisons
340 de Paris, et jamais on n'a rien vu de si plaisant que la diver-
sité des jugements qui se font là-dessus. Car enfin j'ai ouï
condamner cette comédie à certaines gens, par les mêmes
choses que j'ai vu d'autres estimer le plus.

URANIE. – Voilà Monsieur le Marquis qui en dit force mal.

345 LE MARQUIS. – Il est vrai, je la trouve détestable ; morbleu !
détestable du dernier détestable ; ce qu'on appelle détestable.

DORANTE. – Et moi, mon cher Marquis, je trouve le jugement détestable.

350 LE MARQUIS. – Quoi ? Chevalier, est-ce que tu prétends
soutenir cette pièce ?

---

1. *Mes canons et mes rubans* : ornements sur les vêtements, caractéristiques des petits
marquis.

DORANTE. – Oui, je prétends la soutenir.

LE MARQUIS. – Parbleu ! je la garantis détestable.

DORANTE. – La caution [1] n'est pas bourgeoise. Mais, Marquis,
355   par quelle raison, de grâce, cette comédie est-elle ce que tu
dis ?

LE MARQUIS. – Pourquoi elle est détestable ?

DORANTE. – Oui.

LE MARQUIS. – Elle est détestable, parce qu'elle est détes-
360   table.

DORANTE. – Après cela, il n'y a plus rien à dire : voilà son
procès fait. Mais encore instruis-nous, et nous dis les
défauts qui y sont.

LE MARQUIS. – Que sais-je, moi ? je ne me suis pas seulement
365   donné la peine de l'écouter. Mais enfin je sais bien que je
n'ai jamais rien vu de si méchant. Dieu me damne ; et
Dorilas, contre [2] qui j'étais a été de mon avis.

DORANTE. – L'autorité est belle, et te voilà bien appuyé.

LE MARQUIS. – Il ne faut que voir les continuels éclats de rire
370   que le parterre y fait. Je ne veux point d'autre chose pour
témoigner qu'elle ne vaut rien.

DORANTE. – Tu es donc, Marquis, de ces messieurs du bel air,
qui ne veulent pas que le parterre ait du sens commun, et
qui seraient fâchés d'avoir ri avec lui, fût-ce de la meilleure
375   chose du monde ? Je vis l'autre jour sur le théâtre [3] un de nos
amis, qui se rendit ridicule par là. Il écouta toute la pièce
avec un sérieux le plus sombre du monde ; et tout ce qui
égayait les autres ridait son front. À tous les éclats de rire,

---

1. *Caution* : garantie (avec une nuance ironique). \ 2. *Contre* : à côté de. \ 3. *Sur le théâtre* :
sur la scène (places occupées par des jeunes gens de la bonne société).

il haussait les épaules, et regardait le parterre [1] en pitié ; et
380 quelquefois aussi le regardant avec dépit, il lui disait tout
haut : « Ris donc, parterre, ris donc. » Ce fut une seconde
comédie, que le chagrin [2] de notre ami. Il la donna en galant
homme à toute l'assemblée, et chacun demeura d'accord
qu'on ne pouvait pas mieux jouer qu'il fit. Apprends,
385 Marquis, je te prie, et les autres aussi, que le bon sens n'a
point de place déterminée à la comédie ; que la différence du
demi-louis d'or et de la pièce de quinze sols ne fait rien du
tout au bon goût ; que debout et assis [3], on peut donner un
mauvais jugement ; et qu'enfin, à le prendre en général, je
390 me fierais assez à l'approbation du parterre, par la raison
qu'entre ceux qui le composent, il y en a plusieurs qui sont
capables de juger d'une pièce selon les règles, et que les
autres en jugent par la bonne façon d'en juger, qui est de se
laisser prendre aux choses, et de n'avoir ni prévention [4]
395 aveugle, ni complaisance affectée, ni délicatesse ridicule.

LE MARQUIS. — Te voilà donc, Chevalier, le défenseur du
parterre ? Parbleu ! je m'en réjouis, et je ne manquerai pas
de l'avertir que tu es de ses amis. Hay, hay, hay, hay, hay,
hay.

400 DORANTE. — Ris tant que tu voudras. Je suis pour le bon sens,
et ne saurais souffrir les ébullitions de cerveau de nos
marquis de Mascarille. J'enrage de voir de ces gens qui se
traduisent en ridicules, malgré leur qualité ; de ces gens qui
décident toujours et parlent hardiment de toutes choses,
405 sans s'y connaître ; qui dans une comédie se récrieront aux

---

1. *Parterre* : places debout, occupées par un public moins fortuné et plus populaire.
\ 2. *Chagrin* : amertume. \ 3. *Debout et assis* : différence de position révélant le rang
social. \ 4. *Prévention* : préjugé.

méchants endroits, et ne branleront[1] pas à ceux qui sont
bons ; qui voyant un tableau, ou écoutant un concert de
musique, blâment de même et louent tout à contre-sens,
prennent par où ils peuvent les termes de l'art qu'ils attra-
410   pent, et ne manquent jamais de les estropier, et de les mettre
hors de place. Eh, morbleu ! Messieurs, taisez-vous, quand
Dieu ne vous a pas donné la connaissance d'une chose ;
n'apprêtez[2] point à rire à ceux qui vous entendent parler, et
songez qu'en ne disant mot, on croira peut-être que vous
415   êtes d'habiles gens.

LE MARQUIS. – Parbleu ! Chevalier, tu le prends là…

DORANTE. – Mon Dieu, Marquis, ce n'est pas à toi que je
parle. C'est à une douzaine de messieurs qui déshonorent
les gens de cour par leurs manières extravagantes, et font
420   croire parmi le peuple que nous nous ressemblons tous.
Pour moi, je m'en veux justifier, le plus qu'il me sera
possible ; et je les dauberai[3] tant en toutes rencontres, qu'à
la fin ils se rendront sages.

LE MARQUIS. – Dis-moi un peu, Chevalier, crois-tu que
425   Lysandre ait de l'esprit ?

DORANTE. – Oui sans doute, et beaucoup.

URANIE. – C'est une chose qu'on ne peut pas nier.

LE MARQUIS. – Demandez-lui ce qui lui semble de *L'École des
femmes :* vous verrez qu'il vous dira qu'elle ne lui plaît pas.

430 DORANTE. – Eh ! mon Dieu ! il y en a beaucoup que le trop
d'esprit gâte, qui voient mal les choses à force de lumière,
et même qui seraient bien fâchés d'être de l'avis des autres,
pour avoir la gloire de décider.

---

1. *Branleront* : bougeront, remueront. \ **2.** *N'apprêtez* : ne prêtez. \ **3.** *Dauberai* : moquerai.

URANIE. – Il est vrai. Notre ami est de ces gens-là, sans doute.
435 Il veut être le premier de son opinion, et qu'on attende par
respect son jugement. Toute approbation qui marche avant
la sienne est un attentat sur ses lumières, dont il se venge
hautement en prenant le contraire parti. Il veut qu'on le
consulte sur toutes les affaires d'esprit ; et je suis sûre que,
440 si l'auteur lui eût montré sa comédie avant que de la faire
voir au public, il l'eût trouvée la plus belle du monde.

LE MARQUIS. – Et que direz-vous de la marquise Araminte,
qui la publie partout pour épouvantable, et dit qu'elle n'a
pu jamais souffrir les ordures dont elle est pleine ?

445 DORANTE. – Je dirai que cela est digne du caractère qu'elle a
pris ; et qu'il y a des personnes qui se rendent ridicules, pour
vouloir avoir trop d'honneur. Bien qu'elle ait de l'esprit, elle
a suivi le mauvais exemple de celles qui, étant sur le retour de
l'âge, veulent remplacer de quelque chose ce qu'elles voient
450 qu'elles perdent, et prétendent que les grimaces d'une
pruderie scrupuleuse leur tiendront lieu de jeunesse et de
beauté. Celle-ci pousse l'affaire plus avant qu'aucune, et
l'habileté de son scrupule découvre des saletés où jamais
personne n'en avait vu. On tient qu'il va, ce scrupule, jusques
455 à défigurer notre langue, et qu'il n'y a point presque de mots
dont la sévérité de cette dame ne veuille retrancher ou la tête
ou la queue, pour les syllabes déshonnêtes qu'elle y trouve[1].

URANIE. – Vous êtes bien fou, Chevalier.

LE MARQUIS. – Enfin, Chevalier, tu crois défendre ta comédie
460 en faisant la satire de ceux qui la condamnent.

---

1. Les précieuses vont jusqu'à critiquer l'emploi de certaines syllabes supposées pouvoir donner lieu à des équivoques indécentes. Molière, dans *Les Femmes savantes* (1672), évoque cette tentation du « retranchement des syllabes sales » (vers 913).

DORANTE. – Non pas ; mais je tiens que cette dame se scandalise à tort…

ÉLISE : Tout beau[1], Monsieur le Chevalier, il pourrait y en
avoir d'autres qu'elle qui seraient dans les mêmes senti-
465   ments.

DORANTE. – Je sais bien que ce n'est pas vous, au moins ; et
que lorsque vous avez vu cette représentation…

ÉLISE. – Il est vrai ; mais j'ai changé d'avis ; et Madame sait
appuyer le sien par des raisons si convaincantes qu'elle m'a
470   entraînée de son côté.

DORANTE. – Ah ! Madame, je vous demande pardon : et, si
vous le voulez, je me dédirai, pour l'amour de vous, de tout
ce que j'ai dit.

CLIMÈNE. – Je ne veux pas que ce soit pour l'amour de moi,
475   mais pour l'amour de la raison ; car enfin cette pièce, à le
bien prendre, est tout à fait indéfendable, et je ne conçois
pas…

URANIE. – Ah ! voici l'auteur, Monsieur Lysidas. Il vient tout
à propos pour cette matière. Monsieur Lysidas, prenez un
480   siège vous-même, et vous mettez là.

Scène VI

LYSIDAS, DORANTE, LE MARQUIS, ÉLISE,
URANIE, CLIMÈNE

LYSIDAS. – Madame, je viens un peu tard ; mais il m'a fallu
lire ma pièce chez Madame la Marquise, dont je vous avais

---

1. *Tout beau* : doucement, du calme.

parlé ; et les louanges qui lui ont été données m'ont retenu une heure plus que je ne croyais.

485 Élise. — C'est un grand charme que les louanges pour arrêter un auteur.

Uranie. — Asseyez-vous donc, Monsieur Lysidas ; nous lirons votre pièce après souper.

Lysidas. — Tous ceux qui étaient là doivent venir à sa première
490 représentation, et m'ont promis de faire leur devoir comme il faut.

Uranie. — Je le crois. Mais, encore une fois, asseyez-vous, s'il vous plaît. Nous sommes ici sur une matière que je serai bien aise que nous poussions [1].

495 Lysidas. — Je pense, Madame, que vous retiendrez aussi une loge pour ce jour-là.

Uranie. — Nous verrons. Poursuivons, de grâce, notre discours.

Lysidas. — Je vous donne avis, Madame, qu'elles sont presque
500 toutes retenues.

Uranie. — Voilà qui est bien. Enfin, j'avais besoin de vous, lorsque vous êtes venu, et tout le monde était ici contre moi.

Élise. — Il s'est mis d'abord de votre côté ; mais maintenant qu'il sait que Madame est à la tête du parti contraire, je
505 pense que vous n'avez qu'à chercher un autre secours.

Climène. — Non, non, je ne voudrais pas qu'il fît mal sa cour auprès de Madame votre cousine, et je permets à son esprit d'être du parti de son cœur.

Dorante. — Avec cette permission, Madame, je prendrai la
510 hardiesse de me défendre.

---

1. *Poussions* : poursuivions, développions.

URANIE. – Mais auparavant sachons un peu les sentiments de Monsieur Lysidas.

LYSIDAS. – Sur quoi, Madame ?

URANIE. – Sur le sujet de *L'École des femmes*.

515 LYSIDAS. – Ha, ha.

DORANTE. – Que vous en semble ?

LYSIDAS. – Je n'ai rien à dire là-dessus ; et vous savez qu'entre nous autres auteurs, nous devons parler des ouvrages les uns des autres avec beaucoup de circonspection [1].

520 DORANTE. – Mais encore, entre nous, que pensez-vous de cette comédie ?

LYSIDAS. – Moi, Monsieur ?

URANIE. – De bonne foi, dites-nous votre avis.

LYSIDAS. – Je la trouve fort belle.

525 DORANTE. – Assurément ?

LYSIDAS. – Assurément. Pourquoi non ? N'est-elle pas en effet la plus belle du monde ?

DORANTE. – Hom, hom, vous êtes un méchant diable, Monsieur Lysidas : vous ne dites pas ce que vous pensez.

530 LYSIDAS. – Pardonnez-moi.

DORANTE. – Mon Dieu ! je vous connais. Ne dissimulons point.

LYSIDAS. – Moi, Monsieur ?

DORANTE. – Je vois bien que le bien que vous dites de cette
535 pièce n'est que par honnêteté, et que, dans le fond du cœur, vous êtes de l'avis de beaucoup de gens qui la trouvent mauvaise.

LYSIDAS. – Hay, hay, hay.

---

1. *Circonspection* : prudence.

DORANTE. — Avouez, ma foi, que c'est une méchante chose
540   que cette comédie.

LYSIDAS. — Il est vrai qu'elle n'est pas approuvée par les connais-
seurs.

LE MARQUIS. — Ma foi, Chevalier, tu en tiens[1], et te voilà payé
de ta raillerie. Ah, ah, ah, ah, ah !

545 DORANTE. — Pousse, mon cher Marquis, pousse.

LE MARQUIS. — Tu vois que nous avons les savants de notre
côté.

DORANTE. — Il est vrai, le jugement de Monsieur Lysidas est
quelque chose de considérable. Mais Monsieur Lysidas veut
550   bien que je ne me rende pas pour cela ; et puisque j'ai bien
l'audace de me défendre contre les sentiments de Madame,
il ne trouvera pas mauvais que je combatte les siens.

ÉLISE. — Quoi ? vous voyez contre vous Madame, Monsieur le
Marquis et Monsieur Lysidas, et vous osez résister encore ?
555   Fi ! que cela est de mauvaise grâce !

CLIMÈNE. — Voilà qui me confond[2], pour moi, que des
personnes raisonnables se puissent mettre en tête de donner
protection aux sottises de cette pièce.

LE MARQUIS. — Dieu me damne, Madame, elle est misérable
560   depuis le commencement jusqu'à la fin.

DORANTE. — Cela est bientôt dit, Marquis. Il n'est rien plus
aisé que de trancher ainsi ; et je ne vois aucune chose qui
puisse être à couvert de la souveraineté de tes décisions.

LE MARQUIS. — Parbleu ! tous les autres comédiens[3] qui étaient
565   là pour la voir en ont dit tous les maux du monde.

---

1. *Tu en tiens* : tu es touché. \ **2.** *Confond* : décontenance. \ **3.** Les relations de Molière avec
les comédiens de l'Hôtel de Bourgogne, en particulier, étaient difficiles.

DORANTE. – Ah ! je ne dis plus mot : tu as raison, Marquis. Puisque les autres comédiens en disent du mal, il faut les en croire assurément. Ce sont tous gens éclairés et qui parlent sans intérêt [1]. Il n'y a plus rien à dire, je me rends.

570 CLIMÈNE. – Rendez-vous, ou ne vous rendez pas, je sais fort bien que vous ne me persuaderez point de souffrir les immodesties de cette pièce, non plus que les satires désobligeantes qu'on y voit contre les femmes.

URANIE. – Pour moi, je me garderai bien de m'en offenser et 575 de prendre rien sur mon compte de tout ce qui s'y dit. Ces sortes de satires tombent directement sur les mœurs, et ne frappent les personnes que par réflexion. N'allons point nous appliquer nous-mêmes les traits d'une censure générale ; et profitons de la leçon, si nous pouvons, sans 580 faire semblant qu'on parle à nous. Toutes les peintures ridicules qu'on expose sur les théâtres doivent être regardées sans chagrin de tout le monde. Ce sont miroirs publics, où il ne faut jamais témoigner qu'on se voie ; et c'est se taxer hautement d'un défaut, que se scandaliser 585 qu'on le reprenne.

CLIMÈNE. – Pour moi, je ne parle pas de ces choses par la part que j'y puisse avoir, et je pense que je vis d'un air dans le monde à ne pas craindre d'être cherchée dans les peintures qu'on fait là des femmes qui se gouvernent [2] mal.

590 ÉLISE. – Assurément, Madame, on ne vous y cherchera point. Votre conduite est assez connue, et ce sont de ces sortes de choses qui ne sont contestées de personne.

---

1. *Sans intérêt* : de manière désintéressée. Il s'agit d'une remarque ironique, puisque les comédiens ne peuvent avoir un jugement impartial sur le travail d'une troupe concurrente. \ 2. *Se gouvernent* : se conduisent, se comportent.

URANIE. – Aussi, Madame, n'ai-je rien dit qui aille à vous ; et mes paroles, comme les satires de la comédie, demeurent
595 dans la thèse générale.

CLIMÈNE. – Je n'en doute pas, Madame. Mais enfin passons sur ce chapitre. Je ne sais pas de quelle façon vous recevez les injures qu'on dit à notre sexe dans un certain endroit de la pièce ; et pour moi, je vous avoue que je suis dans une
600 colère épouvantable, de voir que cet auteur impertinent nous appelle *des animaux*[1].

URANIE. – Ne voyez-vous pas que c'est un ridicule qu'il fait parler ?

DORANTE. – Et puis, Madame, ne savez-vous pas que les
605 injures des amants n'offensent jamais ? qu'il est des amours emportés aussi bien que des doucereux ? et qu'en de pareilles occasions les paroles les plus étranges, et quelque chose de pis encore, se prennent bien souvent pour des marques d'affection par celles mêmes qui les reçoivent ?

610 ÉLISE. – Dites tout ce que vous voudrez, je ne saurais digérer cela, non plus que le *potage* et la *tarte à la crème*, dont Madame a parlé tantôt.

LE MARQUIS. – Ah ! ma foi, oui, *tarte à la crème !* voilà ce que j'avais remarqué tantôt ; *tarte à la crème !* Que je vous suis
615 obligé, Madame, de m'avoir fait souvenir de *tarte à la crème !* Y a-t-il assez de pommes en Normandie[2] pour *tarte à la crème ? Tarte à la crème, Tarte à la crème*, morbleu ! *tarte à la crème !*

DORANTE. – Eh bien ! que veux-tu dire : *tarte à la crème ?*

---

1. Voir, *L'École des femmes*, v. 1579. \ 2. Les spectateurs, s'ils sont mécontents, lancent parfois aux acteurs des pommes cuites qu'on leur vend lors de la représentation. Le marquis estime que l'expression « tarte à la crème », dans une comédie, mérite une telle sanction du public.

620 LE MARQUIS. – Parbleu ! *tarte à la crème*, Chevalier.

DORANTE. – Mais encore ?

LE MARQUIS. – *Tarte à la crème !*

DORANTE. – Dis-nous un peu tes raisons.

LE MARQUIS. – *Tarte à la crème !*

625 URANIE. – Mais il faut expliquer sa pensée, ce me semble.

LE MARQUIS. – *Tarte à la crème*, Madame !

URANIE. – Que trouvez-vous là à redire ?

LE MARQUIS. – Moi, rien. *Tarte à la crème !*

URANIE. – Ah ! je le quitte[1] !

630 ÉLISE. – Monsieur le Marquis s'y prend bien, et vous bourre[2] de la belle manière. Mais je voudrais bien que Monsieur Lysidas voulût les achever et leur donner quelques petits coups de sa façon.

LYSIDAS. – Ce n'est pas ma coutume de rien blâmer, et je suis
635 assez indulgent pour les ouvrages des autres. Mais, enfin, sans choquer l'amitié que Monsieur le Chevalier témoigne pour l'auteur, on m'avouera que ces sortes de comédies ne sont pas proprement des comédies[3], et qu'il y a une grande différence de toutes ces bagatelles à la beauté des pièces sérieuses.
640 Cependant tout le monde donne là-dedans aujourd'hui : on ne court plus qu'à cela, et l'on voit une solitude effroyable aux grands ouvrages[4], lorsque des sottises ont tout Paris. Je vous avoue que le cœur m'en saigne quelquefois, et cela est honteux pour la France.

645 CLIMÈNE. – Il est vrai que le goût des gens est étrangement gâté là-dessus, et que le siècle s'encanaille furieusement.

---

1. *Je le quitte* : j'abandonne. \ 2. *Bourre* : maltraite, bat. \ 3. Lysidas voudrait réserver le terme de « comédie », qui désigne toute pièce de théâtre, aux seules tragédies, « pièces sérieuses ». \ 4. La tragédie est victime d'une certaine désaffection, au moment où parle Lysidas.

ÉLISE. – Celui-là est joli encore, *s'encanaille*[1] ! Est-ce vous qui
l'avez inventé, Madame ?

CLIMÈNE. – Hé !

ÉLISE. – Je m'en suis bien doutée.

650 DORANTE. – Vous croyez donc, Monsieur Lysidas, que tout
l'esprit et toute la beauté sont dans les poèmes sérieux, et
que les pièces comiques sont des niaiseries qui ne méritent
aucune louange ?

URANIE. – Ce n'est pas mon sentiment, pour moi. La tragédie,
655 sans doute, est quelque chose de beau quand elle est bien
touchée[2] ; mais la comédie a ses charmes, et je tiens que
l'une n'est pas moins difficile à faire que l'autre.

DORANTE. – Assurément, Madame ; et quand, pour la difficulté, vous mettriez un *plus* du côté de la comédie, peut-
660 être que vous ne vous abuseriez pas. Car enfin, je trouve
qu'il est bien plus aisé de se guinder[3] sur de grands sentiments, de braver en vers la Fortune, accuser les Destins, et
dire des injures aux Dieux[4], que d'entrer comme il faut
dans le ridicule des hommes, et de rendre agréablement sur
665 le théâtre des défauts de tout le monde. Lorsque vous
peignez des héros, vous faites ce que vous voulez. Ce sont
des portraits à plaisir, où l'on ne cherche point de ressem-
blance ; et vous n'avez qu'à suivre les traits d'une imagination qui se donne l'essor, et qui souvent laisse le vrai pour
670 attraper le merveilleux[5]. Mais lorsque vous peignez les
hommes, il faut peindre d'après nature. On veut que ces

---

1. Ce mot est apparu dans le *Dictionnaire des Précieuses*, en 1661. \ **2.** *Touchée* : composée,
écrite. \ **3.** *Se guinder* : donner une élévation particulière, un tour affecté. \ **4.** Le héros
tragique est censé défier les dieux. \ **5.** *Merveilleux* : ce qui étonne, ce qui est en dehors de
limites du réalisme.

portraits ressemblent ; et vous n'avez rien fait, si vous n'y faites reconnaître les gens de votre siècle. En un mot, dans les pièces sérieuses, il suffit, pour n'être point blâmé, de dire des choses qui soient de bon sens et bien écrites ; mais
675 ce n'est pas assez dans les autres, il y faut plaisanter ; et c'est une étrange entreprise que celle de faire rire les honnêtes gens.

CLIMÈNE. — Je crois être du nombre des honnêtes gens ; et cependant je n'ai pas trouvé le mot pour rire dans tout ce
680 que j'ai vu.

LE MARQUIS. — Ma foi, ni moi non plus.

DORANTE. — Pour toi, Marquis, je ne m'en étonne pas : c'est que tu n'y as point trouvé de turlupinades.

LYSIDAS. — Ma foi, Monsieur, ce qu'on y rencontre ne vaut
685 guère mieux, et toutes les plaisanteries y sont assez froides à mon avis.

DORANTE. — La cour n'a pas trouvé cela.

LYSIDAS. — Ah ! Monsieur, la cour !

DORANTE. — Achevez, Monsieur Lysidas. Je vois bien que vous
690 voulez dire que la cour ne se connaît pas à ces choses ; et c'est le refuge ordinaire de vous autres, Messieurs les auteurs, dans le mauvais succès de vos ouvrages, que d'accuser l'injustice du siècle et le peu de lumière des courtisans. Sachez, s'il vous plaît, Monsieur Lysidas, que les courtisans
695 ont d'aussi bons yeux que d'autres ; qu'on peut être habile avec un point de Venise et des plumes[1], aussi bien qu'avec une perruque courte et un petit rabat uni[2] ; que la grande

---

1. Attributs vestimentaires des riches jeunes gens. \ 2. Attributs plus austères des bourgeois et des gens d'étude.

épreuve de toutes vos comédies, c'est le jugement de la
cour ; que c'est son goût qu'il faut étudier pour trouver l'art
700 de réussir ; qu'il n'y a point de lieu où les décisions soient si
justes ; et sans mettre en ligne de compte tous les gens
savants qui y sont, que, du simple bon sens naturel et du
commerce de tout le beau monde, on s'y fait une manière
d'esprit, qui sans comparaison juge plus finement des choses
705 que tout le savoir enrouillé des pédants[1].

URANIE. — Il est vrai que, pour peu qu'on y demeure, il vous
passe là tous les jours assez de choses devant les yeux pour
acquérir quelque habitude de les connaître, et surtout pour
ce qui est de la bonne et mauvaise plaisanterie.

710 DORANTE. — La cour a quelques ridicules, j'en demeure
d'accord, et je suis, comme on voit, le premier à les fronder.
Mais, ma foi, il y en a un grand nombre parmi les beaux
esprits de profession ; et si l'on joue quelques marquis, je
trouve qu'il y a bien plus de quoi jouer les auteurs, et que
715 ce serait une chose plaisante à mettre sur le théâtre que
leurs grimaces savantes et leurs raffinements ridicules, leur
vicieuse coutume d'assassiner les gens de leurs ouvrages[2],
leur friandise de louanges, leurs ménagements de pensées,
leur trafic de réputation, et leurs ligues offensives et défen-
720 sives, aussi bien que leurs guerres d'esprit, et leurs combats
de prose et de vers.

LYSIDAS. — Molière est bien heureux, Monsieur, d'avoir un
protecteur aussi chaud que vous. Mais enfin, pour venir au

---

1. Raillerie traditionnelle contre les pédants, dont le savoir figé dans une stérile admiration des Anciens, ne permettrait pas un juste exercice du jugement critique, en matière de bon goût. \ **2.** Dorante évoque les multiples querelles qui agitent le monde des gens de lettres.

fait, il est question de savoir si sa pièce est bonne, et je
725 m'offre d'y montrer partout cent défauts visibles.

URANIE. – C'est une étrange chose de vous autres Messieurs
les poètes, que vous condamniez toujours les pièces où tout
le monde court, et ne disiez jamais du bien que de celles où
personne ne va. Vous montrez pour les unes une haine
730 invincible, et pour les autres une tendresse qui n'est pas
concevable.

DORANTE. – C'est qu'il est généreux de se ranger du côté des
affligés.

URANIE. – Mais, de grâce, Monsieur Lysidas, faites-nous voir
735 ces défauts dont je ne me suis point aperçue.

LYSIDAS. – Ceux qui possèdent Aristote et Horace [1] voient
d'abord, Madame, que cette comédie pèche contre toutes
les règles de l'art.

URANIE. – Je vous avoue que je n'ai aucune habitude avec ces
740 messieurs-là, et que je ne sais point les règles de l'art.

DORANTE. – Vous êtes de plaisantes gens avec vos règles, dont
vous embarrassez les ignorants et nous étourdissez tous les
jours. Il semble, à vous ouïr parler, que ces règles de l'art
soient les plus grands mystères du monde ; et cependant ce
745 ne sont que quelques observations aisées, que le bon sens a
faites sur ce qui peut ôter le plaisir que l'on prend à ces
sortes de poèmes ; et le même bon sens qui a fait autrefois
ces observations les fait aisément tous les jours sans le
secours d'Horace et d'Aristote. Je voudrais bien savoir si la
750 grande règle de toutes les règles n'est pas de plaire, et si une

---

1. Aristote (384-322 av. J.-C.) et Horace (65-8 av. J.-C.) : auteur grec et auteur latin dont les théories esthétiques servent de fondement à l'esthétique classique.

pièce de théâtre qui a attrapé son but n'a pas suivi un bon chemin. Veut-on que tout un public s'abuse sur ces sortes de choses, et que chacun n'y soit pas juge du plaisir qu'il y prend ?

755 URANIE. – J'ai remarqué une chose de ces messieurs-là : c'est que ceux qui parlent le plus des règles, et qui les savent mieux que les autres, font des comédies que personne ne trouve belles.

DORANTE. – Et c'est ce qui marque, Madame, comme on doit
760 s'arrêter peu à leurs disputes embarrassées. Car enfin, si les pièces qui sont selon les règles ne plaisent pas et que celles qui plaisent ne soient pas selon les règles, il faudrait de nécessité que les règles eussent été mal faites. Moquons-nous donc de cette chicane où ils veulent assujettir le goût
765 du public, et ne consultons dans une comédie que l'effet qu'elle fait sur nous. Laissons-nous aller de bonne foi aux choses qui nous prennent par les entrailles, et ne cherchons point de raisonnements pour nous empêcher d'avoir du plaisir.

770 URANIE. – Pour moi, quand je vois une comédie, je regarde seulement si les choses me touchent ; et, lorsque je m'y suis bien divertie, je ne vais point demander si j'ai eu tort, et si les règles d'Aristote me défendaient de rire.

DORANTE. – C'est justement comme un homme qui aurait
775 trouvé une sauce excellente, et qui voudrait examiner si elle est bonne sur les préceptes du *Cuisinier français* [1].

URANIE. – Il est vrai ; et j'admire les raffinements de certaines gens sur des choses que nous devons sentir par nous-mêmes.

---

1. Ouvrage du sieur de la Varenne.

DORANTE. — Vous avez raison, Madame, de les trouver
780 étranges, tous ces raffinements mystérieux. Car enfin, s'ils
ont lieu, nous voilà réduits à ne nous plus croire ; nos
propres sens seront esclaves en toutes choses ; et, jusques au
manger et au boire, nous n'oserons plus trouver rien de
bon, sans le congé[1] de Messieurs les experts.

785 LYSIDAS. — Enfin, Monsieur, toute votre raison, c'est que *L'École
des femmes* a plu ; et vous ne vous souciez point qu'elle ne soit
pas dans les règles, pourvu...

DORANTE. — Tout beau, Monsieur Lysidas, je ne vous accorde
pas cela. Je dis bien que le grand art est de plaire, et que
790 cette comédie ayant plu à ceux pour qui elle est faite, je
trouve que c'est assez pour elle et qu'elle doit peu se soucier
du reste. Mais, avec cela, je soutiens qu'elle ne pèche contre
aucune des règles dont vous parlez. Je les ai lues, Dieu
merci, autant qu'un autre ; et je ferais voir aisément que
795 peut-être n'avons-nous point de pièce au théâtre plus régulière que celle-là.

ÉLISE. — Courage, Monsieur Lysidas ! nous sommes perdus si
vous reculez.

LYSIDAS. — Quoi ? Monsieur, la protase, l'épitase, et la péri-
800 pétie[2] ?...

DORANTE. — Ah ! Monsieur Lysidas, vous nous assommez avec
vos grands mots. Ne paraissez point si savant, de grâce.
Humanisez votre discours, et parlez pour être entendu[3].
Pensez-vous qu'un nom grec donne plus de poids à vos
805 raisons ? Et ne trouveriez-vous pas qu'il fût aussi beau de

---

1. *Congé* : autorisation. \ **2.** Termes techniques désignant les différents moments d'une pièce de théâtre. Chaque terme est expliqué dans la réplique de Dorante. \ **3.** *Entendu* : compris.

dire l'exposition du sujet, que la protase, le nœud, que l'épitase, et le dénouement, que la péripétie ?

Lysidas. — Ce sont termes de l'art dont il est permis de se servir. Mais, puisque ces mots blessent vos oreilles, je m'expliquerai d'une autre façon, et je vous prie de répondre positivement à trois ou quatre choses que je vais dire. Peut-on souffrir une pièce qui pèche contre le nom propre des pièces de théâtre ? Car enfin, le nom de poème dramatique vient d'un mot grec qui signifie agir, pour montrer que la nature de ce poème consiste dans l'action[1] ; et dans cette comédie-ci, il ne se passe point d'actions, et tout consiste en des récits que vient faire ou Agnès ou Horace.

Le marquis. — Ah ! ah ! Chevalier !

Climène. — Voilà qui est spirituellement remarqué, et c'est prendre le fin des choses.

Lysidas. — Est-il rien de si peu spirituel, ou, pour mieux dire, rien de si bas, que quelques mots où tout le monde rit, et surtout celui des *enfants par l'oreille* ?

Climène. — Fort bien.

Élise. — Ah !

Lysidas. — La scène du valet et de la servante au-dedans de la maison, n'est-elle pas d'une longueur ennuyeuse, et tout à fait impertinente ?

Le marquis. — Cela est vrai.

Climène. — Assurément.

Élise. — Il a raison.

Lysidas. — Arnolphe ne donne-t-il pas trop librement son argent à Horace ? Et puisque c'est le personnage ridicule de

---

1. *Drama* : signifie « action » en grec. Le théâtre imiterait les actions.

la pièce, fallait-il lui faire faire l'action d'un honnête
835 homme ?

LE MARQUIS. – Bon. La remarque est encore bonne.

CLIMÈNE. – Admirable.

ÉLISE. – Merveilleuse.

LYSIDAS. – Le sermon et les *Maximes* ne sont-elles pas des
840 choses ridicules, et qui choquent même le respect que l'on
doit à nos mystères[1] ?

LE MARQUIS. – C'est bien dit.

CLIMÈNE. – Voilà parlé comme il faut.

ÉLISE. – Il ne se peut rien de mieux.

845 LYSIDAS. – Et ce Monsieur de La Souche enfin, qu'on nous fait
un homme d'esprit, et qui paraît si sérieux en tant d'endroits,
ne descend-il point dans quelque chose de trop comique et
de trop outré au cinquième acte, lorsqu'il explique à Agnès
la violence de son amour, avec ces roulements d'yeux extra-
850 vagants, ces soupirs ridicules, et ces larmes niaises qui font
rire tout le monde ?

LE MARQUIS. – Morbleu ! merveille !

CLIMÈNE. – Miracle !

ÉLISE. – Vivat ! Monsieur Lysidas.

855 LYSIDAS. – Je laisse cent mille autres choses, de peur d'être
ennuyeux.

LE MARQUIS. – Parbleu ! Chevalier, te voilà mal ajusté.

DORANTE. – Il faut voir.

LE MARQUIS. – Tu as trouvé ton homme, ma foi !

860 DORANTE. – Peut-être.

LE MARQUIS. – Réponds, réponds, réponds, réponds.

---

1. Mystères de la religion, objets de foi.

DORANTE. – Volontiers. Il…

LE MARQUIS. – Réponds donc, je te prie.

DORANTE. – Laisse-moi donc faire. Si…

865 LE MARQUIS. – Parbleu ! je te défie de répondre.

DORANTE. – Oui, si tu parles toujours.

CLIMÈNE. – De grâce, écoutons ses raisons.

DORANTE. – Premièrement, il n'est pas vrai de dire que toute la pièce n'est qu'en récits. On y voit beaucoup d'actions qui
870 se passent sur la scène, et les récits eux-mêmes y sont des actions, suivant la constitution du sujet ; d'autant qu'ils sont tous faits innocemment, ces récits, à la personne intéressée, qui par là entre, à tous coups, dans une confusion à réjouir les spectateurs, et prend, à chaque nouvelle, toutes les
875 mesures qu'il peut pour se parer du malheur qu'il craint.

URANIE. – Pour moi, je trouve que la beauté du sujet de *L'École des femmes* consiste dans cette confidence perpétuelle ; et ce qui me paraît assez plaisant, c'est qu'un homme qui a de l'esprit, et qui est averti de tout par une
880 innocente qui est sa maîtresse, et par un étourdi qui est son rival, ne puisse avec cela éviter ce qui lui arrive.

LE MARQUIS. – Bagatelle, bagatelle.

CLIMÈNE. – Faible réponse.

ÉLISE. – Mauvaises raisons.

885 DORANTE. – Pour ce qui est des *enfants par l'oreille*, ils ne sont plaisants que par réflexion à Arnolphe [1] ; et l'auteur n'a pas mis cela pour être de soi un bon mot, mais seulement pour une chose qui caractérise l'homme, et peint d'autant mieux son extravagance, puisqu'il rapporte une sottise triviale

---

1. Par rapport au caractère d'Arnolphe.

890 qu'a dite Agnès comme la chose la plus belle du monde, et qui lui donne une joie inconcevable.

LE MARQUIS. – C'est mal répondre.

CLIMÈNE. – Cela ne satisfait point.

ÉLISE. – C'est ne rien dire.

895 DORANTE. – Quant à l'argent qu'il donne librement, outre que la lettre de son meilleur ami lui est une caution suffisante, il n'est pas incompatible qu'une personne soit ridicule en de certaines choses et honnête homme en d'autres. Et pour la scène d'Alain et de Georgette dans le logis, que

900 quelques-uns ont trouvée longue et froide, il est certain qu'elle n'est pas sans raison, et de même qu'Arnolphe se trouve attrapé, pendant son voyage, par la pure innocence de sa maîtresse, il demeure, au retour, longtemps à sa porte par l'innocence de ses valets, afin qu'il soit partout puni par

905 les choses qu'il a cru faire la sûreté de ses précautions.

LE MARQUIS. – Voilà des raisons qui ne valent rien.

CLIMÈNE. – Tout cela ne fait que blanchir[1].

ÉLISE. – Cela fait pitié.

DORANTE. – Pour le discours moral que vous appelez un

910 sermon, il est certain que de vrais dévots qui l'ont ouï n'ont pas trouvé qu'il choquât ce que vous dites ; et sans doute que ces paroles d'*enfer* et de *chaudières bouillantes*[2] sont assez justifiées par l'extravagance d'Arnolphe et par l'innocence de celle à qui il parle. Et quant au transport amoureux du

915 cinquième acte, qu'on accuse d'être trop outré et trop comique, je voudrais bien savoir si ce n'est pas faire la satire

---

1. *Ne fait que blanchir* : n'atteint pas son but, se révèle peu convaincant. \ 2. Cette évocation de l'enfer a été reprochée à Molière. Elle était suspecte d'être irrespectueuse de la religion. (Voir *L'École des femmes*, v. 727.).

des amants, et si les honnêtes gens même et les plus sérieux, en de pareilles occasions, ne font pas des choses… ?

LE MARQUIS. – Ma foi, Chevalier, tu ferais mieux de te taire.

920 DORANTE. – Fort bien. Mais enfin si nous nous regardions nous-mêmes, quand nous sommes bien amoureux… ?

LE MARQUIS. – Je ne veux pas seulement t'écouter.

DORANTE. – Écoute-moi, si tu veux. Est-ce que dans la violence de la passion… ?

925 LE MARQUIS. – La, la, la, la, lare, la, la, la, la, la, la. (*Il chante.*)

DORANTE. – Quoi… ?

LE MARQUIS. – La, la, la, la, lare, la, la, la, la, la, la.

DORANTE. – Je ne sais pas si…

930 LE MARQUIS. – La, la, la, la, lare, la, la, la, la, la, la, la.

URANIE. – Il me semble que…

LE MARQUIS. – La, la, la, lare, la, la, la, la, la, la, la, la, la.

URANIE. – Il se passe des choses assez plaisantes dans notre dispute. Je trouve qu'on en pourrait bien faire une petite 935 comédie, et que cela ne serait pas trop mal à la queue[1] de *L'École des femmes*.

DORANTE. – Vous avez raison.

LE MARQUIS. – Parbleu ! Chevalier, tu jouerais là-dedans un rôle qui ne te serait pas avantageux.

940 DORANTE. – Il est vrai, Marquis.

CLIMÈNE. – Pour moi, je souhaiterais que cela se fît, pourvu qu'on traitât l'affaire comme elle s'est passée.

ÉLISE. – Et moi, je fournirais de bon cœur mon personnage.

LYSIDAS. – Je ne refuserais pas le mien, que je pense.

---

1. *À la queue de* : dans le prolongement, à la suite de.

945 URANIE. — Puisque chacun en serait content, Chevalier, faites un mémoire de tout, et le donnez à Molière, que vous connaissez, pour le mettre en comédie.

CLIMÈNE. — Il n'aurait garde, sans doute, et ce ne serait pas des vers à sa louange.

950 URANIE. — Point, point ; je connais son humeur : il ne se soucie pas qu'on fronde ses pièces, pourvu qu'il y vienne du monde.

DORANTE. — Oui. Mais quel dénouement pourrait-il trouver à ceci ? car il ne saurait y avoir ni mariage, ni reconnais-
955 sance ; et je ne sais point par où l'on pourrait faire finir la dispute.

URANIE. — Il faudrait rêver quelque incident pour cela.

Scène VII et dernière

GALOPIN, LYSIDAS, DORANTE, LE MARQUIS, CLIMÈNE, ÉLISE, URANIE

GALOPIN. — Madame, on a servi sur table.

DORANTE. — Ah ! voilà justement ce qu'il faut pour le dénoue-
960 ment que nous cherchions, et l'on ne peut rien trouver de plus naturel. On disputera fort et ferme de part et d'autre, comme nous avons fait, sans que personne se rende[1] ; un petit laquais viendra dire qu'on a servi ; on se lèvera, et chacun ira souper.

965 URANIE. — La comédie ne peut pas mieux finir, et nous ferons bien d'en demeurer là.

---

1. *Se rende* : reconnaisse sa défaite, admette les arguments de la partie adverse.

DOSSIER

REPÈRES CULTURELS ET BIOGRAPHIQUES

■ *L'École des femmes* ou la mise en question de la place de la femme dans la société du XVIIᵉ siècle

MOLIÈRE ET LES FEMMES

Les rapports de Molière avec les femmes ont été l'objet de beaucoup de commentaires critiques, voire calomnieux. Ses adversaires ont vu dans le couple Arnolphe-Agnès une image de celui qu'il formait avec Armande Béjart.

Plus généralement, ce sont les questions du mariage, de l'éducation des femmes et de leur accès à la culture qui préoccupent Molière. Les cercles précieux, espaces de discussion sur la littérature, dominés par des femmes d'esprit issues de la société noble et cultivée, ont très largement contribué à donner une actualité à ces débats. Mˡˡᵉ de Scudéry (1607-1701), auteur de romans précieux, a réuni régulièrement chez elle des gens de lettres, à partir de 1652, afin de réfléchir sur le sentiment amoureux et sur ses modes d'expression. Les précieuses tendent à promouvoir une idée de l'amour plus respectueuse de la femme, qui cesse d'être une proie pour devenir un vrai sujet, susceptible de maîtriser les modalités de la relation amoureuse. Le manque d'éducation est pour elles un instrument majeur de la soumission de la femme à son mari. Si Molière se moque des excès de raffinement, voire de pédantisme, auxquels ces revendications peuvent conduire, il insiste toutefois surtout sur la nécessité de laisser à chacun la liberté de s'instruire et d'aimer.

La femme est préparée à ce rôle de soumission par sa famille ou par le couvent. Au cours de sa vie, éternelle mineure, elle passe la plupart du temps de la tutelle de son père à celle de son mari. Elle n'a que rarement accès à l'éducation, qui lui donnerait en partie les moyens de son autonomie. Seules les femmes nobles peuvent vraiment prétendre à ce privilège. Mme de Maintenon (1635-1719), en fondant à Saint-Cyr une maison royale spécialisée dans l'éducation des jeunes filles pauvres issues de l'ancienne noblesse provinciale, dont certains représentants se sont paupérisés avec le triomphe de l'absolutisme, témoigne de cette sensibilité à la question de l'accès à la connaissance pour les femmes. À partir de 1686, cette institution, créée par celle qui est devenue maîtresse, puis épouse de Louis XIV, après avoir été elle-même une jeune fille noble et ruinée, délivre à ses pensionnaires une éducation complète, centrée sur les apprentissages moraux et religieux.

Les abus, dont les femmes sont victimes, trouvent en la religion une alliée de poids, qui prend les prétextes de la morale et de la foi pour justifier des rapports de pouvoir outrageusement déséquilibrés. À cette époque, face à l'émergence du libertinage, courant de pensée qui remet en cause les dogmes philosophiques, moraux et religieux, la rigueur des dévots s'accentue. Molière, qui critique cette alliance entre la religion et le pouvoir, et qui est suspect d'avoir fréquenté le milieu libertin, est ainsi accusé d'immoralité et d'impiété.

◼ Molière ou l'école du théâtre

LES PREMIÈRES ANNÉES

Né à Paris en 1622, dans une famille bourgeoise, Jean-Baptiste Poquelin n'était sans aucun doute pas destiné à faire du théâtre. Il renonce à la charge de tapissier, héritée de son père, et au confort matériel qu'elle lui aurait apporté, pour choisir une carrière de comédien. Il renonce également à une carrière d'avocat, après avoir obtenu une licence de droit, à la faculté d'Orléans.

En 1644, il prend le pseudonyme de Molière. C'est, pour lui, une deuxième naissance. L'expérience de l'Illustre Théâtre, qu'il partage avec Madeleine Béjart, est un échec. Elle confirme néanmoins Molière dans sa vocation de chef de troupe. Il voyage ensuite en province durant treize années (1645-1658), en profitant de divers soutiens, dont celui du prince de Conti (1629-1666), gouverneur du Languedoc. Celui-ci devient un farouche adversaire du théâtre, après s'être rapproché de la Compagnie du Saint-Sacrement, société catholique et dévote, fondée en 1627, afin de promouvoir une certaine rigueur morale et religieuse. En 1658, Molière est de retour à Paris. Il reçoit une pension de Monsieur, frère du Roi, qui l'introduit auprès de Louis XIV. Ce dernier soutient fidèlement Molière face aux dévots, et lui commande un certain nombre de pièces pour le divertissement de la cour : *La Princesse d'Élide* (1664), *La Pastorale comique* (1667), *Les Amants magnifiques* (1670), entre autres.

Dès 1659, Molière connaît le succès, avec *Les Précieuses ridicules*. Il s'affirme comme directeur de troupe et s'installe avec dix acteurs et actrices au Petit-Bourbon, salle offerte par le roi. En 1660, cette salle ayant été livrée à la démolition, la troupe de Molière s'installe au Palais-Royal.

LES « GRANDES COMÉDIES »

Les années suivantes sont celles des plus grands succès, en même temps que des querelles les plus violentes. En 1662, à 40 ans, Molière épouse Armande Béjart. Cette année, qui est aussi celle de la représentation de *L'École des femmes*, marque un tournant dans sa vie aussi bien que dans sa carrière. Molière connaît alors une période de grande fécondité artistique, qui lui permet de faire vivre sa troupe. Il crée *Le Tartuffe* (1664). La pièce est interdite à la suite des pressions des dévots avant d'être à nouveau représentée en 1669 seulement, dans une version corrigée. *Dom Juan* (1664) sera aussi interdite après uniquement quinze représentations, malgré le succès, du fait du comportement supposé scandaleux de son principal protagoniste. En 1666, *Le Misanthrope* dénonce «l'art de plaire» en vigueur dans la société aristocratique du xviie siècle, ainsi que les excès d'Alceste, qui exprime une haine des hommes masquant mal son amertume de ne pas en être aimé. Cette pièce propose une forme très subtile de comique, fort éloignée des premières farces et marquant certainement un point d'aboutissement de l'évolution vers la «grande comédie». *Le Bourgeois gentilhomme* (1670), *L'Avare* (1671), *Les Fourberies de Scapin* (1671), *Les Femmes savantes* (1672), font partie des pièces majeures que Molière crée à la fin de sa carrière, en dépit de multiples difficultés personnelles. Dans sa dernière pièce, *Le Malade imaginaire* (1673), chef-d'œuvre de la comédie-ballet, Molière ridiculise les médecins, dont l'arrogance et l'incompétence profitent lâchement de la peur universelle des hommes face à la maladie et à la mort.

ÉPILOGUE

Il meurt le 17 février 1673, au terme de la quatrième représentation du *Malade imaginaire*. Sa veuve Armande, a beaucoup de mal à obtenir de l'Église des funérailles. Il est finalement enterré au cimetière de sa paroisse, après avoir voué sa vie entière au théâtre, en tant qu'acteur, directeur de troupe et auteur. Quelques années plus tard, l'union de sa troupe avec celles, auparavant rivales, du Marais et de l'Hôtel de Bourgogne, «grands comédiens» spécialisés dans la tragédie, donne naissance à la Comédie-Française.

■ *L'École des femmes* ou la première des « grandes comédies »

EN AMONT DE L'ŒUVRE

Dans l'œuvre de Molière, *L'École des femmes* (1662) est la première des «grandes comédies». Elle vient à la suite d'une série de farces, dont certaines, telles que *Les Précieuses ridicules* (1659), assurent son succès. Molière crée des types comiques, peu individualisés sur le plan psychologique, inspirés de la *commedia dell'arte* et de la farce française. Au fur et à mesure des pièces, les personnages et les ressorts du rire deviennent plus complexes. Le personnage du cocu, qui apparaît avec *Sganarelle ou le Cocu imaginaire* (1660) s'affine pour trouver, en Arnolphe, une incarnation parfaitement aboutie.

L'École des maris (1661), pièce en trois actes, marque déjà une évolution par rapport au divertissement de quelques scènes que constitue la farce. Elle met en scène une jeune fille, Isabelle, dont le tuteur est un vieil homme, âgé de quarante ans, qui entend bien l'épouser. Sganarelle, le barbon, est d'une excessive crédulité : il en vient même à porter à son rival les billets doux d'Isabelle ! Il est, en réalité, un personnage peu crédible.

L'ÉCOLE DES FEMMES : SUCCÈS ET POLÉMIQUES

L'École des femmes, malgré d'apparentes similitudes et des points communs avec la farce par la reprise du thème du cocuage, introduit toutefois une rupture avec *L'École des maris*. C'est une comédie en cinq actes et en vers, qui fait définitivement passer le spectateur de la comédie à l'italienne à la grande comédie. Les personnages gagnent en profondeur et en gravité. Isabelle a été confiée à Sganarelle, alors qu'Arnolphe a choisi Agnès. Le projet de ce dernier est plus inquiétant. La peinture de son personnage, soumis à la tyrannie d'un désir fou, est plus complexe et s'inscrit davantage dans la réalité de l'époque, en interrogeant les liens entre l'amour et le mariage, en évoquant le problème majeur des mal mariés, dans une société où le mariage est avant tout une alliance économique et sociale, et en soulevant la question des liens entre morale et éducation. Soucieux de préserver Agnès du péché en la privant d'instruction, Arnolphe échoue, car la jeune fille découvre naturellement en elle la force du désir.

La pièce connaît un grand succès. Même Donneau de Visé (1638-1710), l'un des adversaires de Molière, signale dans ses *Nouvelles nouvelles* (1663) la qualité de la représentation : «Jamais comédie ne fut si bien représentée ni avec tant d'art ; chaque acteur sait combien il doit faire de pas et toutes ses œillades sont comptées.» Mais l'œuvre fait également naître la polémique. L'abbé d'Aubignac (1604-1676) participe à la querelle, en dénonçant le caractère libertin de certains passages de la pièce. La scène du *le* (acte II, scène 5), en particulier, choque, de même que les maximes du mariage, dans lesquelles on voit une parodie des Dix Commandements, paroles que Dieu aurait transmises à Moïse et dont rend compte l'Ancien Testament. Molière répond à ses adversaires avec *La Critique de l'École des femmes* (1663 ; voir p. 137), en se moquant des excès ridicules des précieuses et de l'hypocrisie des censeurs, dont le rigorisme moral est une imposture. Cette réponse à la polémique, par le biais d'une comédie, permet à Molière de se justifier et de rappeler que, pour lui, le rire et le divertissement sont toujours premiers et constituent la seule règle à laquelle tout dramaturge devrait obéir.

EN AVAL DE L'ŒUVRE

Avec *Le Tartuffe*, dont la première version est présentée au roi en 1664, Molière présente toutefois une autre réponse théâtrale à ses adversaires de la querelle. Sa dénonciation de l'hypocrisie des dévots, dont Tartuffe propose une image excessive et inquiétante, a suscité l'opposition très violente de la Compagnie du Saint-Sacrement et des tenants de la morale traditionnelle, qui ont fait interdire les représentations publiques de la pièce, jusqu'en 1669. Avec *Dom Juan* (1664), Molière, en moraliste, met en évidence un excès symétrique, et tout aussi condamnable : celui du libertinage. Dom Juan n'incarne pas le libertinage véritable, celui de Gassendi (1592-1655) et de La Mothe Le Vayer (1588-1672), qui ne se confond pas avec l'immoralité et la débauche, mais une extravagance fanfaronne contraire à la sage recherche de la juste mesure.

Pistes de lecture et exercices

■ Piste 1 : La construction dramatique : une comédie classique ?

La construction dramatique de la pièce a été l'objet de critiques, à l'occasion de la querelle de *L'École des femmes*. Elle a été jugée trop éloignée des règles traditionnelles du classicisme. Pour Charles Robinet (1608-1698), dans le *Panégyrique de L'École des femmes, ou Conversation comique sur les œuvres de Molière* (1664), la construction de la pièce est « contre toutes les règles du dramatique. » Les récits occupent dans cette comédie une place inhabituelle. L'action se déroule essentiellement dans le hors-scène. *L'École des femmes* n'en est pas moins une comédie classique, caractérisée par l'exigence d'unité dans le temps, l'espace et l'action. Celle-ci est structurée autour du personnage central qu'est Arnolphe et de ses nombreux monologues, qui témoignent de ses réactions face aux obstacles à son projet de mariage avec Agnès. Ce sont ses tentatives pour empêcher l'amour entre Horace et Agnès, et ses échecs, qui rythment la pièce.

L'EXIGENCE CLASSIQUE D'UNITÉ

Arnolphe est présent dans trente et une des trente-deux scènes de la pièce, contrairement à Agnès, dont la présence sur scène vaut par son intensité et par sa rareté. Molière se focalise sur le point de vue d'Arnolphe, victime ridicule de ses propres désirs, et non sur celui des jeunes gens, victimes sans aucun doute moins comiques et plus à plaindre du projet tyrannique d'un seul homme. Le personnage d'Arnolphe contribue donc à l'unité de l'action, qui est également conforme aux exigences d'unité de temps et de lieu, règles essentielles de la comédie classique.

> **Règle classique des trois unités**
> Unité d'action : concentrer l'intérêt dramatique sur le sujet principal de l'œuvre.
> Unité de temps : la durée de la représentation doit coïncider au maximum avec la durée de l'action.
> Unité de lieu : l'action doit se dérouler dans un lieu unique.

UNE ACTION STRUCTURÉE AUTOUR DU PERSONNAGE PRINCIPAL

Acte I : Le projet insensé d'Arnolphe

Dès la scène 1 de l'acte I, les ridicules d'Arnolphe sont mis en évidence par la longue confrontation avec Chrysalde, son ami, qui incarne un certain bon sens et qui ne semble guère convaincu par les théories de son interlocuteur sur le mariage. La crainte irrationnelle du cocuage a légitimé aux yeux d'Arnolphe une éducation à l'écart du monde et l'oppression d'Agnès, qu'il espère épouser. Cette crainte a fait de la jeune fille une victime du désir du barbon. Recueillie à quatre ans par Arnolphe, Agnès a vécu jusqu'à ses dix-sept ans dans la solitude et l'ignorance. Arnolphe voulait éviter qu'elle n'acquière, avec la connaissance intellectuelle, celle morale, du péché. En précisant ses principes éducatifs, il nous révèle sa folle ambition de faire d'une femme sa créature, pour son plaisir exclusif. Son orgueil démesuré et son aveuglement expliquent l'échec de sa « précaution » (v. 150) face à une femme qui aspire tout naturellement à accéder au statut de sujet.

Après avoir pris congé de son ami et après dix jours d'absence, Arnolphe rentre chez lui. Il peine à se faire ouvrir par ses serviteurs, dont il a fait les gardiens maladroits et peu intelligents de l'innocence de sa pupille. Sa très brève conversation avec Agnès permet au spectateur de confronter le portrait qu'Arnolphe a fait de la jeune fille avec son personnage. Agnès, pour cette première apparition, semble sage et disciplinée.

Satisfait de l'échange qu'il a eu avec Agnès, Arnolphe croit pouvoir profiter du plaisir de la conversation avec Horace, le fils de son ami Oronte. Le jeune homme fait toutefois imprudemment d'Arnolphe le confident de son amour pour Agnès. Il ne sait pas que Monsieur de la Souche, tuteur de celle qu'il aime, est le nom qu'Arnolphe s'est attribué afin d'anoblir son identité et de se faire un « nom de seigneurie » (I, 1, v. 172).

Actes II, III, IV : Les obstacles au mariage et la menace du cocuage

L'acte II s'ouvre sur le premier monologue d'Arnolphe, qui nous précise les réactions du personnage confronté à sa plus grande crainte : être fait cocu par Horace. Dans la scène 5, le barbon interroge Agnès, soucieux d'en savoir plus sur la relation entre les jeunes gens, tout en maintenant sa protégée dans l'ignorance des choses de l'amour. Cette célèbre scène, objet de polémiques et de critiques pour obscénité dans la querelle de *L'École des femmes* (v. 571 à 582), permet d'apprendre à connaître plus précisément une jeune fille qui, d'objet de discours, devient, au fur et à mesure de la pièce, un véritable sujet de parole. Agnès fait innocemment le récit de sa rencontre avec Horace, laissant volontiers transparaître ses sentiments pour lui. Arnolphe, qui se pose en garant de la morale, précipite son mariage avec Agnès et lui présente le plaisir amoureux comme un péché. Il apparaît toutefois comme obsédé par la sexualité et entièrement soumis à la tyrannie de son propre désir : en témoigne la crainte comique que lui inspire l'imprécision du « le » (v. 572) équivoque qui ne recouvre qu'un symbolique, mais innocent vol de ruban.

L'acte III débute, pour Arnolphe, par un long sermon adressé à Agnès. Sur un ton très pompeux, motivé par l'illusion de son triomphe face à Horace, auquel la jeune fille est supposée avoir signifié son refus de poursuivre toute relation, le barbon présente les *Maximes du mariage* (pp. 63 à 66). Il s'agit d'une liste de préceptes très contraignants, destinés à assurer le pouvoir du mari sur la femme, sous prétexte de morale et de foi. Horace lui apporte à nouveau la désillusion, en lui apprenant la ruse d'Agnès, qui a réussi à lui transmettre, avec le grès qu'elle lui a jeté, une lettre d'amour. L'acte se clôt par un monologue d'Arnolphe. Cette scène 5 infléchit le portrait du personnage, dont le désarroi révèle non seulement l'orgueil blessé et l'obsession ridicule, mais également l'acharnement à assouvir un sentiment qu'il identifie à l'amour.

L'acte IV témoigne encore davantage du désespoir d'Arnolphe, qui se livre à trois monologues (scènes 1, 5 et 7). À la gradation dans la hardiesse d'Agnès répond l'escalade des moyens envisagés par Arnolphe dans sa guerre contre Horace. Mais Alain et Georgette, le valet et la servante du barbon, sont pour lui de bien faibles alliés. Ils sont essentiellement caractérisés par leur sottise (scène 4). L'intervention de Chrysalde, (scène 8) qui tente de rappeler à Arnolphe la possibilité de s'en tenir à un juste milieu dans toute action (v. 1251), n'évite pas le glissement du personnage vers un dénouement qui consacre son échec.

Acte V : Le dénouement et l'échec d'Arnolphe

L'acte V fait à nouveau passer Arnolphe de l'espoir, et du sentiment de sa toute-puissance (fin de la scène 2), à un désespoir cette fois définitif (v. 1740 et 1764). Critiqué pour son caractère brusque et artificiel, le dénouement n'en donne pas moins la leçon de la pièce. Il consacre le triomphe de l'amour d'Horace et d'Agnès, aidé par l'intervention providentielle d'un homme : Oronte, le père d'Horace et le grand ami d'Arnolphe. Point d'aboutissement de l'évolution d'Arnolphe, cet acte signe la mort symbolique du personnage, qui disparaît en quittant la scène, sans pouvoir parler, pour laisser place au bonheur général lié à la promesse d'un mariage entre les deux jeunes gens, ce qui est la conclusion typique de la comédie. Horace a découvert sa méprise et a compris qu'il avait fait de son rival son confident. Arnolphe a perdu.

Mais la pièce n'invite pas à mettre en cause le principe de l'autorité des pères, car Enrique, le beau-frère de Chrysalde, et Oronte sont à l'origine du dénouement heureux. Ils apparaissent comme les auxiliaires involontaires de l'amour entre les jeunes gens. Ils ont en effet décidé du mariage d'Horace avec la fille d'Enrique, sans s'être assurés au préalable de leurs sentiments. Arnolphe, d'abord soulagé et prêt à emmener Agnès, découvre avec stupeur que cette fille, dont il cherche à encourager le mariage avec Horace, n'est autre qu'Agnès. Par une plaisante ruse de la Providence, ce sont les pères qui, sans le savoir ou sans le vouloir, permettent à la liberté et au bonheur amoureux de triompher.

UNITÉ DE TEMPS, UNITÉ DE LIEU

L'action de la pièce ne dure pas plus de vingt-quatre heures. Molière, soucieux de souligner son respect de cette règle classique, fait préciser à Arnolphe dès le vers 2 qu'il s'agit de « terminer la chose dans demain ». Arnolphe annonce également à Agnès qu'il souhaite se marier « dès ce soir » (II, 5, v. 622). Ce calendrier très resserré se justifie par l'urgence de la situation : il entend s'approprier rapidement et définitivement une jeune femme dont il sent qu'elle lui échappe.

De même, la règle de l'unité de lieu est respectée. L'action se passe « dans une place de ville » (p. 14). Ce lieu est suffisamment indifférencié pour se prêter à de multiples possibilités de mises en scène. C'est un espace public, qui rend vraisemblables les rencontres multiples d'Arnolphe avec Chrysalde et Horace. À la fin de l'acte V, Chrysalde signale un changement de lieu : « Allons dans la maison débrouiller ces mystères » (v. 1777). Le passage de l'extérieur à l'intérieur, la maison, manifeste le règlement des conflits, par le triomphe du bonheur conjugal.

L'IMPORTANCE DU HORS-SCÈNE : L'ÉLARGISSEMENT DES LIMITES TEMPORELLES ET SPATIALES DE LA COMÉDIE

La fonction dramatique des récits

Charles Robinet, dans son *Panégyrique de L'École des femmes ou Conversation comique sur les œuvres de Molière*, prête ces propos à Lidamon, personnage central de sa pièce : « Je remarquerais avec beaucoup de justice, qu'il n'y a presque point du tout d'action, qui est le caractère de la comédie, et qui la discerne d'avec les poèmes de récit. » Ce reproche est suffisamment récurrent pour que Molière éprouve le besoin d'y répondre ainsi, dans la *Critique de l'École des femmes*, par l'entremise de Dorante : « Premièrement, il n'est pas vrai de dire que toute la pièce

> **Le hors-scène**
>
> En théâtre, le hors-scène désigne des événements qui ne se déroulent pas sur scène et sont racontés par les personnages.
>
> Pour Molière ce ne sont pas les faits rapportés qui sont importants mais l'impression qu'ils font.

n'est qu'en récits. On y voit beaucoup d'actions qui se passent sur la scène, et les récits eux-mêmes y sont des actions, suivant la constitution du sujet» (scène VI, p. 172). Molière confère une véritable fonction dramatique au récit. Pour que les récits deviennent des actions, il faut toutefois que le jeu des acteurs soit très évocateur et que la parole donne à voir ce qui s'est déroulé loin des yeux des spectateurs.

De nombreuses actions ne nous sont donc que racontées, parfois parce qu'elles se passent entre les actes. Par exemple, entre les actes II et III, Agnès jette à Horace une pierre, à laquelle elle a attaché une lettre (v. 635). Arnolphe témoignant à la jeune fille de sa satisfaction, au début de l'acte III (v. 643), le spectateur est invité à s'imaginer la scène qui a eu lieu en dehors de son regard. Il en est de même de la fausse mort d'Horace (acte V scène 2), qu'il aurait été sans doute contraire à la bienséance de montrer sur scène. Les coups de bâton sont rarement absents de la farce. Mais dans ce cas, le spectateur est face à une «grande comédie», et il s'agit d'un événement plus grave, car la vie d'Horace est apparue un moment menacée (v. 1390). Les monologues (II, 1; III, 3 et 5; IV, 1, 5 et 7) rendent compte de la réaction d'Arnolphe aux récits qui lui sont faits. La pièce est structurée par l'oscillation du personnage principal entre l'affirmation ridicule de sa maîtrise et celle, aux limites du tragique, de son désarroi, dans des monologues consécutifs à chaque rencontre avec Horace, qui lui impose toujours, sans le savoir, une cruelle prise de conscience de ses échecs.

Arnolphe ou l'impossible maîtrise de l'espace

L'existence du hors-scène accentue, pour le spectateur, l'idée qu'Arnolphe se bat en vain face à des adversaires qui ont en leur faveur leur jeunesse et la réciprocité des sentiments. Pour Arnolphe, il fait naître le sentiment angoissant que son entourage se ligue contre lui, pour contrarier ses désirs. Tiraillé entre l'intérieur de la maison et l'extérieur, Arnolphe ne cesse d'essayer de rentrer chez lui, avant d'en ressortir immédiatement. En s'efforçant de maîtriser ces espaces divers dans le rêve orgueilleux de son ubiquité, il en est réduit à constater que tous lui échappent. Il ne réussit à être vraiment chez lui nulle part et court après les jeunes gens, sans jamais les rattraper. Au début de l'acte II, après avoir cherché à rejoindre Horace, il constate d'ailleurs qu'il a couru inutilement (II, 1). Il ne parvient pas à être là où il devrait être. Lorsqu'il choisit de s'éloigner, il précipite sa perte. C'est un « voyage malheureux » (II, 1, v. 385) qui laisse la possibilité à Agnès de rencontrer Horace. Au terme d'une agitation sans trêve, tout au long de la pièce, il finit par s'enfuir de la scène, « tout transporté » (v. 1764) par la rage et le désespoir, perdu dans la folie et mu certainement par le seul désir de s'éloigner et d'échapper au spectacle humiliant de son échec.

Il s'éloigne de cette « place de ville » qui est au cœur de l'action. L'espace public est le lieu des hommes, extérieur, où se règlent néanmoins des questions d'ordre privé. C'est sur cette place qu'Horace fait à Arnolphe des confidences. À une époque où ces deux notions tendent à se différencier, l'attitude du jeune homme témoigne d'une imprudente confusion entre espaces public et privé. Sur le théâtre du monde, Horace a l'illusion naïve et comique que l'amitié et la sincérité, pourtant réservées aux situations d'intimité, sont possibles. Arnolphe, au contraire, est caractérisé par sa méconnaissance de l'espace privé, dont il sous-estime la puissance. Cet espace est le lieu des femmes. Il abrite Agnès, à qui Arnolphe promet également le « cul d'un couvent » (V, 4, v. 1611). Cette menace est l'ultime argument d'un homme impuissant face à l'expression de la liberté intérieure d'Agnès, contre laquelle aucun mur ne peut rien. Arnolphe a l'illusion que l'enfermement dans un espace clos est l'instrument le plus efficace de l'abolition de la liberté et de la soumission d'autrui. Agnès, bien qu'enfermée, manifeste que le for intérieur, l'intelligence qui lui inspire d'étonnants stratagèmes, en réponse aux précautions de son tuteur, ainsi que le sentiment amoureux, sont toujours un espace de résistance à la tyrannie.

VERS LA QUESTION D'ÉCRITURE

Après avoir lu ces deux extraits vous répondrez aux questions.

TEXTE 1, Arnolphe en quête de vérité

« Outre tous ces discours, toutes ces gentillesses » [...] « Que pour le secourir j'aurais tout accordé. »

➡ p. 51, II, 5, v. 567-586

TEXTE 2, Un dénouement providentiel ?

« Et vous allez enfin la voir venir ici » [...] au dernier vers.

➡ p. 123, V, 9, v. 1758-1779

QUESTIONS

1. Vous identifierez et analyserez le registre de chaque texte, en justifiant votre réponse par des exemples précis.

2. Vous analyserez le rôle et l'évolution du personnage d'Arnolphe, dans ces deux extraits. Dans le premier texte, Arnolphe vous semble-t-il maître de la situation ?

3. Vous montrerez comment Molière, dans ces deux extraits, met en évidence la force du sentiment amoureux.

Piste 2 : Les personnages ou la difficile quête de soi

Les personnages d'Arnolphe et d'Agnès ont fait l'objet d'interprétations divergentes. Même si l'expression de son désespoir est parfois considérée comme émouvante, le sentiment amoureux peine cependant à grandir Arnolphe. Son désir pour une très jeune femme, qu'il retient quasiment séquestrée, peut même sembler inquiétant. Son identité de femme, dont Arnolphe voudrait la priver, Agnès doit la conquérir. L'amour d'Horace, jeune homme honnête et sincère, permet la spectaculaire métamorphose de l'ingénue en femme amoureuse et émancipée. Dans la pièce, l'identité des personnages, complexe et approfondie, se révèle progressivement : les jeunes gens nous offrent le spectacle de la construction de leur autonomie, tandis que nous voyons Arnolphe s'enfermer de plus en plus dans la folie de son désir, avant d'être définitivement exclu de la scène.

ARNOLPHE OU LES INCERTITUDES DU COMIQUE

Certaines mises en scène, en particulier contemporaines, ont mis en évidence la dimension tragique du personnage principal de la pièce. Qui est Arnolphe ? Même son nom pose problème, car il se fait appeler Monsieur de la Souche. Il usurpe une identité de noble. Il est omniprésent sur la scène, à l'exception de la scène 3 de l'acte II. Il ne cesse de parler, dans l'espoir de maîtriser ce qu'il sent lui échapper : la soumission d'Agnès. Mais l'amoureux désespéré qu'il croit être, nous apparaît avant tout comme un barbon incapable d'exprimer avec simplicité et sincérité son désir. C'est d'ailleurs de cette manière, très farcesque, que Molière interprétait le personnage d'Arnolphe.

Amoureux tyrannique et désespéré...

Lorsqu'il comprend qu'Agnès lui échappe, Arnolphe, d'abord étranger au désir, en vient à exprimer sa souffrance et son sentiment amoureux. Il révèle son impuissance à se faire aimer, faute d'avoir lui-même su aimer. Il voulait simplement se «faire une femme au gré de [s]on souhait» (v. 142). Ce projet est né dans son esprit au moment où la jeune Agnès n'avait que quatre ans (v. 130). L'amour-propre est d'abord pour lui plus fort que l'amour. Il nourrit le rêve d'avoir à sa disposition une créature modelée à son image. La relation à l'autre est pour lui avant tout une question de narcissisme et de pouvoir. Au début de la pièce (I, 1), il méprise Agnès, dont il raille la naïveté. La morale très conservatrice qu'il prêche, dans une caricature de direction de conscience à destination de la jeune fille, est fondée sur le seul respect de ses intérêts (III, 2, *Les Maximes du mariage*). Il souhaite se marier pour respecter les conventions sociales et pour posséder une femme, comme l'on posséderait une terre. Ce célibataire, déjà âgé de quarante-deux ans, ne comprend rien à l'amour, et tente de justifier ses maladresses, voire sa crainte irrationnelle des femmes par des théories très rétrogrades en matière de morale. Il est hostile à l'éducation des filles et vante le «profond respect, où la femme doit être/ Pour son mari, son chef, son seigneur et son maître.» (v. 711-712). Son intention de rivaliser avec un jeune homme de vingt ans se révèle ridicule et vaine.

Mais Arnolphe finit par se faire à lui-même cet aveu : «Et cependant je l'aime, après ce lâche tour,/ Jusqu'à ne me pouvoir passer de cet amour.» (v. 998-999). Seul, face à tous ceux qui se liguent contre lui, il se montre désespéré, dominé par les sentiments que lui inspire Agnès et par la jalousie : «Et c'est mon désespoir et ma peine mortelle./ Je souffre doublement dans le vol de son cœur,/ Et l'amour y pâtit aussi bien que l'honneur.» (v. 985-987). Lorsqu'il comprend que sa cause est perdue, Arnolphe évoque son «regard mourant» (v. 1588) et propose de se tuer, en témoignage de la sincérité de son amour. Son exclusion et son silence, au moment du dénouement (V, 9, v. 1740), signalent cruellement son échec. Son projet tyrannique n'a pu aboutir. Il s'est heurté au sentiment amoureux, indissociable d'une aspiration à la liberté que le pouvoir des pères ne peut faire taire.

... ou barbon ridicule ?

Son vocabulaire, ses exclamations de désespoir, pourraient appartenir au registre tragique, si des signes discordants ne venaient pas toujours nous rappeler que la pièce est bien une comédie. Arnolphe est caractérisé par l'excès et maîtrise mal ses sentiments. Il se met facilement en colère et exprime son désespoir sans retenue. Voulant témoigner de son désarroi, il dit par exemple qu'il voudrait se «pouvoir mettre nu» (v. 394), ce qui est une déclaration incompatible avec la grandeur censée caractériser le personnage tragique. À la scène 5 de l'acte V, il pose également à Agnès cette déconcertante question, qui devrait lui prouver la force de son amour : «Veux-tu que je m'arrache un côté de cheveux ?» (v. 1602). Dans ce moment d'expression pourtant paroxystique de sa douleur, il se révèle plus ridicule que vraiment émouvant. Il se croit victime d'une tragédie. Son amour-propre est si grand qu'il ne supporte pas l'idée d'être cocu. Le déshonneur qu'il en ressentirait serait pour lui aussi grave que la mort.

Une telle crainte lui inspire cette prière : « Ciel ! faites que mon front soit exempt de disgrâce,/ Ou bien, s'il est écrit qu'il faille que j'y passe,/ Donnez-moi, tout au moins, pour de tels accidents,/ La constance qu'on voit à de certaines gens. » (v. 1004-1007). Il évoque plaisamment sa conception, dégradée et comique, de l'héroïsme : savoir supporter stoïquement le cocuage. Malgré ses paroles grandiloquentes, Arnolphe n'en reste donc pas moins un personnage comique, un vieux garçon misogyne, mal à l'aise avec son corps et avec le désir, qui ne parvient jamais à donner une quelconque forme de noblesse à ses sentiments.

Le prénom d'Arnolphe, qui renvoie au patron des cocus, inscrit d'emblée le personnage dans le registre comique, voire farcesque. Le nom de Monsieur de la Souche, qu'il s'est choisi, ne fait pas non plus de lui un gentilhomme. Il manifeste au contraire l'aspiration insensée du personnage à une noblesse de pacotille, fondée sur la possession d'une terre sans valeur. Avec Georgette et Alain, ses serviteurs, Arnolphe se trouve dans des situations dignes de la farce. Il ne parvient pas à se faire ouvrir, lorsqu'il rentre chez lui. Il leur donne également l'ordre de battre Horace (IV, 9). Cette scène de bastonnade, que la « grande comédie » ne nous montre pas, donne lieu à un plaisant coup de théâtre. Arnolphe, qui se croyait dans une tragédie, a craint d'avoir ordonné la mort d'Horace, fils de l'un de ses amis. Le retour du jeune homme sur la scène le laisse abasourdi par ce qu'il considère presque comme une résurrection. Il témoigne ainsi plaisamment de sa stupéfaction, lorsqu'il rencontre Horace : « Est-ce un enchantement ? est-ce une illusion ? » (v. 1371). La scène du « le » témoigne de son obsession comique du cocuage et de sa vulgarité (II, 3, v. 572). Le seul échange qui a eu lieu entre Horace et Agnès consiste en un ruban. Cette innocente révélation apaise l'angoisse d'Arnolphe. Horace n'a pas pris la virginité de sa pupille.

Non seulement Arnolphe est ridicule, mais il nous est présenté également, à de nombreuses reprises, comme un fou. Si l'on se fie au regard dénué d'indulgence que les autres personnages portent sur lui, il ne disposerait pas de toute sa raison. Il est en particulier, considéré comme « fou de toutes les manières » (v. 195) par Chrysalde, dont la présence discrète permet avant tout d'assurer le contraste avec l'extravagance d'Arnolphe. Ce bourgeois, ami d'Arnolphe, n'accède pas complètement à la sagesse de « l'honnête homme », modèle de culture et d'humanité défini par les moralistes de l'âge classique. Il se caractérise plutôt par sa résignation (IV, 8) et par un relativisme excessif qui le conduit à faire l'éloge paradoxal et un peu ridicule du cocuage, dont il se met à vanter les « plaisirs » (v. 1305). Mais il est un « raisonneur », partisan d'un idéal du juste milieu. Il s'efforce en tout de « fuir les extrémités » (v. 1251) et tente de dissuader Arnolphe d'accomplir son projet fou, misogyne et presque incestueux d'éduquer une jeune fille dans le seul but de l'épouser. Arnolphe, face à cet ami paisible et modeste, semble prisonnier de son orgueil démesuré.

LA MÉTAMORPHOSE D'AGNÈS

De la jeune ingénue...

Agnès n'a, dans la pièce, qu'une présence limitée sur la scène, ce qui crée autour d'elle une forme de mystère. Elle n'y apparaît que huit fois (I, 3 ; II, 4 et 5 ; III, 1 et 2 ; V, 3, 4 et 9). Exclue de la sphère publique par Arnolphe, elle est dans une situation de captive, réduite à utiliser le hors-scène pour trouver des espaces de liberté. Le portrait que l'on peut faire de cette jeune fille est d'abord indirect : Arnolphe, dans la scène 1 de l'acte I, décrit avec plaisir et fierté l'innocence de celle qui ose demander « si les enfants qu'on fait se faisaient par l'oreille » (v. 164). Agnès est son œuvre, le « morceau de cire » (v. 810) qu'il a modelé en fonction de son désir et pour flatter son orgueil.

La jeune fille ignore tout de la sexualité. Lorsqu'elle rencontre Horace, elle prend pour de la simple politesse ce qui était déjà le jeu de la séduction (v. 485-502). Son éducation au couvent ne lui a permis d'acquérir que des rudiments de religion et de vertu, ainsi que la maîtrise des travaux de couture, qui constituent l'occupation traditionnelle des parfaites épouses. Agnès semble répéter, lorsqu'elle s'exprime dans les deux premiers actes, des paroles de politesse bien apprises (I, 3 et II, début de la scène 5). Son prénom, renvoyant à une sainte image de la pudeur et de l'innocence, confirme ce portrait d'une ingénue.

... à la femme amoureuse

Ses apparitions sur scène témoignent toutefois d'une métamorphose spectaculaire. Agnès, dans un premier temps (I, 3), parle peu et se présente dans toute sa naïveté face à Arnolphe, satisfait de ne pas abriter sous son toit une précieuse (v. 244 à 248). Elle se révèle ensuite beaucoup plus bavarde et prend progressivement la maîtrise du dialogue (à partir de l'acte II, scène 5, quand elle raconte à Arnolphe sa rencontre avec Horace). Elle ne dissimule rien de ses sentiments à l'égard d'Horace et de son désir pour lui, dont elle parle avec beaucoup de simplicité. Son intelligence s'éveille, ainsi que ses sens (v. 563-564). Elle prend également conscience de son pouvoir sur le monde. Elle invente un stratagème pour transmettre à Horace une lettre d'amour (v. 910 à 925). Cette lettre révèle qu'Agnès a compris les défauts de son éducation, dont Arnolphe est le responsable. Avec naturel et tendresse, elle confie à Horace ses sentiments et sa confiance en la sincérité des cœurs (Horace lit la lettre d'Agnès, pp. 76-77). Elle découvre sa liberté et accède ainsi véritablement au statut de sujet. Après avoir conquis son autonomie, au dernier acte, elle peut déclarer avec clarté et détermination, au sujet d'Horace : « Oui, je l'aime » (v. 1521) avant de mettre un terme au discours amoureux d'Arnolphe par cette comparaison aussi cruelle que sincère : « Tenez, tous vos discours ne me touchent point l'âme./ Horace, avec deux mots en ferait plus que vous » (v. 1605-1606). Elle quitte la scène en manifestant sa capacité à affirmer sans crainte sa volonté. À Arnolphe qui veut l'éloigner, elle répond fermement : « Je veux rester ici » (v. 1726).

Cet éveil d'Agnès à l'amour et à l'émancipation, très rapide, témoigne de l'énergie de la jeunesse, face à l'incapacité d'Arnolphe à évoluer. Il est permis par l'absence d'éducation de la jeune fille. Dépourvue de préjugés face à autrui, Agnès se laisse guider par une naturelle aspiration au bonheur. Sans méfiance, parce que sans expérience de la société, elle s'abandonne à l'amour et au mariage. Arnolphe, sans le vouloir et par le détour d'un projet fou, réalise l'objectif que toute éducation paternelle devrait viser : le bonheur d'une fille, devenue elle-même, une femme, sous l'effet puissant et presque miraculeux du désir.

HORACE : UN AMOUREUX DE CONVENTION ?

Un jeune damoiseau

Horace répond au type de l'amoureux de convention, du jeune premier. Il est beau et à la mode, en quête d'aventure galante. Dans l'acte I, il emprunte à Arnolphe de l'argent et lui expose son goût pour les «divertissements» (v. 290). Sa jeunesse l'expose au reproche de superficialité et d'immaturité. En faisant d'Arnolphe le confident de son amour pour Agnès (v. 317 à 327), il témoigne d'une certaine imprudence. Il ne connaissait certes pas l'identité précise de Monsieur «de la Zousse, ou Source» (v. 328), mais il s'est abstenu de toute vérification.

Un amoureux sincère

Horace, avec l'assurance de son jeune âge, rend compte à Arnolphe (v. 962 à 974) des diverses manœuvres dont il use pour parvenir à ses fins auprès d'Agnès. Il est très vite séduit par la jeune fille, et se révèle sincère. Il en vient même à admirer l'intelligence (v. 923) de celle qui, malgré son manque d'éducation, découvre bien vite les vertus de la ruse. Horace le séducteur est donc loin du portrait qu'Arnolphe fait de lui en manipulateur diabolique, à l'image de tous les jeunes gens «dont la gueule altérée/De l'honneur féminin cherche à faire curée» (III, 1, v. 655-656). Les «damoiseaux» sont pour le barbon de «vrais Satans» (v. 655), effrayantes bêtes uniquement attachées au vice et à la perte morale des jeunes filles. Horace, au contraire, avoue son «pur amour» pour Agnès (v. 1416), à qui il offre son cœur et la certitude de son engagement pour la vie. Le mariage vient logiquement récompenser la vertu et l'honnêteté de ce jeune homme, après quelques moments d'inquiétude (V, 6, 7 et 8), destinés à préserver l'effet de suspens du dénouement, suite à l'arrivée de son père et à la découverte de la trahison d'Arnolphe.

CONCLUSION

Dans cette «grande comédie», Molière présente des personnages dont l'identité est ambiguë et en évolution. La pièce nous offre le spectacle de leurs métamorphoses. Ils quittent progressivement les masques qui leur ont été imposés, ou qu'ils ont choisis. Dans le dénouement, Arnolphe n'est ainsi plus qu'un fantoche dépouillé de sa puissance, alors qu'Agnès et Horace nous apparaissent comme des adultes responsables et heureux, qui ont renoncé à leur enfance pour accéder à l'autonomie. Afin que s'impose la vérité du moi, aussi cruelle pour Arnolphe qu'elle est réjouissante pour les jeunes gens, il faut que les personnages prennent le risque de refuser les convenances et les apparences. Dans cette quête d'un vrai visage, Arnolphe se perd. L'identité qu'il s'était patiemment construite s'effondre brutalement. Pour Agnès et Horace, le spectateur assiste à un processus symétrique. La sincérité est la condition de leur émancipation par rapport à une morale contraignante et inquiétante. Elle leur ouvre la voie de la liberté et du bonheur.

VERS LE COMMENTAIRE : LES PERSONNAGES OU L'IDENTITÉ EN QUESTION

TEXTE 3, Arnolphe ou la menace du tragique

« Enfin me voilà mort par ce funeste écrit » [...] « La constance qu'on voit à de certaines gens ».

➡ p. 77, III, 5, v. 977-1007

QUESTIONS

Pour préparer le commentaire, répondez aux questions suivantes.

1. Quel est le registre dominant de la scène ? Identifiez et analysez les procédés manifestant l'excès des passions d'Arnolphe.

2. Analysez les sentiments qu'exprime Arnolphe et leur évolution au cours de la scène, en vous appuyant sur la composition de son discours. Montrez ainsi que ce monologue permet de relancer l'action.

3. Selon vous, dans cette scène, Arnolphe témoigne-t-il essentiellement de son amour pour Agnès ou de son amour-propre ?

Piste 3 : La réponse de Molière à la critique de *L'École des femmes* : une sagesse de la modération et du plaisir

L'École des femmes et *La Critique* mettent en évidence les ridicules des censeurs et la rigidité de leurs positions morales. Molière, à travers la question des femmes, de leur éducation et de leur place dans la société, défend le droit à affirmer sa liberté face à la tyrannie de l'autorité, dont Arnolphe propose une image dégradée. Il réhabilite le plaisir, qui est le guide naturel et innocent du comportement d'Agnès. Dans la pièce, cet éloge du plaisir, aspiration légitime des jeunes gens et garantie de leur épanouissement personnel dans le mariage, ne se confond en aucun cas avec une défense de l'immoralité.

MORALE ET HYPOCRISIE

Les dévots et la querelle de *L'École des femmes*

Dès la première représentation le 26 décembre 1662, la pièce, qui est un succès, est l'objet de vives critiques, surtout de la part des dévots. Donneau de Visé (1638-1710), dans *Zélinde ou la Véritable Critique de l'École des femmes*, et le pamphlétaire Edme Boursault (1638-1701), dans *Le Portrait du Peintre, ou la Contre-Critique de l'École des femmes*, pièces représentées en 1663, proposent des transpositions scéniques des débats que l'œuvre a fait naître. Molière répond à ses adversaires sur le même mode, par une petite pièce créée au Palais-Royal : *La Critique de l'École des femmes* (1er juin 1663).

Les reproches adressés à Molière sont esthétiques, moraux et religieux. *L'École des femmes* manquerait d'originalité. La pièce ne serait qu'une « rapsodie » (*La Critique*, scène 3, p. 141 à 148), c'est-à-dire le recueil de plusieurs passages imités. Elle ne témoignerait d'aucun effort d'invention. Ses adversaires critiquent également les invraisemblances du comique : les confidences répétées d'Horace au barbon, la subtilité de la lettre d'Agnès, censée être dénuée d'esprit, entre autres.

Plus graves sont les reproches d'atteintes à la bienséance et d'irrespect à l'égard de la religion. La scène du « le » (II, 5, v. 572) est un passage supposé contraire au bon goût. L'évocation de la sexualité et de la nourriture, parfois plaisamment liées dans la pièce (Alain considère par exemple la femme comme le «potage de l'homme», v. 675-743), choque également. Ses adversaires reprochent enfin à Molière le sermon d'Arnolphe à Agnès (III, 2, v. 675-743). Sa peinture caricaturale de l'enfer, inspirée de l'imagerie populaire, et de ses «chaudières bouillantes» (v. 727) est considérée comme une manière trop légère de traiter des mystères sacrés. Lysidas, dans *La Critique*, pose cette question : « Le sermon et les *Maximes* ne sont-elles pas des choses ridicules, et qui choquent même le respect que l'on doit à nos mystères ? » (scène 6, p. 169). Ces maximes sont en effet au nombre de dix, car Arnolphe suspend la lecture à la onzième, ce qui est une référence audacieuse, mêlant le théâtre et le sacré, aux Dix Commandements divins qui constituent le code moral des chrétiens. Ces maximes sont des préceptes concrets et contraignants, tous orientés autour d'une même injonction, signe de la folie monomaniaque d'Arnolphe : « Tu ne commettras point d'adultère. »

Les tartuffes

Aux censeurs, Molière reproche leur hypocrisie. Dans *La Critique*, Uranie rappelle que la lettre du texte, en particulier dans la scène du «le», est irréprochable : « [Agnès] ne dit pas un mot qui de soit ne soit fort honnête ; et si vous voulez entendre dessous quelque autre chose, c'est vous qui faites l'ordure, et non pas elle, puisqu'elle parle seulement d'un ruban qu'on lui a pris. » (scène 3, p. 146). L'interprétation qui en est donnée signale donc davantage « l'obscénité » des spectateurs que celle de l'auteur.

Arnolphe offre une image ridicule et critique des censeurs et des dévots. Son exigence de rigueur morale et religieuse n'est destinée qu'à servir son propre intérêt, à permettre le maintien d'un ordre social qui lui est favorable et à empêcher la légitime révolte de ceux qui aspirent au bonheur et à la liberté. Pour Arnolphe, l'objectif du mariage, *a priori* louable, justifie tous les moyens, y compris le sacrifice d'une jeune fille. Cette image très sombre se confirme dans la suite de l'œuvre moliéresque. *Le Tartuffe ou l'Imposteur* (1669, première version en 1664), lui donne une dimension particulièrement inquiétante, car la direction et la maîtrise des consciences sont, pour ce dernier, les moyens d'assouvir ses pulsions les plus viles, sa vénalité et sa sensualité. Pour Molière, les passions humaines, parfois violentes et peu avouables, sont toujours le vrai visage de l'affirmation trop zélée de la dévotion, dans ses excès spectaculaires et menaçants pour l'individu. Moins inquiétant que Tartuffe et moins séduisant que Dom Juan, Arnolphe, à l'image des grands imposteurs du théâtre de Molière, dissimule aux autres et à lui-même ses passions sous le masque d'un discours très rigoureux. La pièce ferait de l'exigence extrême de morale et de religion une position essentiellement politique, destinée à affermir le pouvoir d'un individu sur un autre. Arnolphe se comporte en tyran à l'égard d'Agnès et ne supporte pas de voir ses prérogatives sur cette jeune fille contestées par un jeune homme dont il ne comprend pas la sincérité.

MORALE ET PLAISIR

Les déplaisirs du mariage

Pour Arnolphe, la femme semble ne devoir trouver sa place qu'au sein du couvent ou dans le mariage. Il montre d'ailleurs que les deux positions sont équivalentes : « […] Ainsi qu'une novice/Par cœur dans le couvent doit savoir son office,/ Entrant au mariage, il en faut faire autant. » (v. 739-741). Lorsqu'il constate son impuissance, c'est également d'un « cul de couvent » (v. 1611) qu'il menace Agnès. Le couvent, bien loin de toute vocation religieuse, apparaît ainsi comme le lieu d'enfermement définitif pour les femmes coupables d'avoir voulu aimer, et victimes de la tyrannie masculine.

Le mariage ne saurait donc être un espace d'épanouissement pour l'épouse. Arnolphe refuse de prendre le risque qu'il soit fondé sur l'amour ou sur le désir. À Chrysalde, qui souhaiterait le convaincre des charmes de l'esprit et de la beauté, il répond sèchement : « L'honnêteté suffit. » (v. 106). Motivé par sa crainte des femmes, dont il fustige le caractère dépensier, manipulateur et sensuel (v. 25-42), il souhaite qu'Agnès lui soit soumise et qu'elle lui manifeste toute sa reconnaissance pour l'avoir élevée au rang d'épouse (v. 689-690). Il fait de leur union une description très austère, voire effrayante, bien peu susceptible d'inspirer de l'enthousiasme à la jeune femme (III, 2, v. 695-742). Dans le couple dont il rêve, il se voit comme un dieu face à sa créature.

Le mariage, auquel l'Église a conféré la dignité de sacrement, n'est pour lui, plus vulgairement, qu'une union destinée à éviter l'humiliation du cocuage et à satisfaire les exigences délirantes de son amour-propre.

Une pièce féministe ?

La défense du droit des femmes, dans l'œuvre de Molière, s'accompagne d'une certaine méfiance à l'égard des précieuses et des savantes, dont deux pièces raillent les excès : *Les Précieuses ridicules* (1659) et *Les Femmes savantes* (1672). Pour Molière, les femmes en viennent parfois à défendre, sur les questions de l'éducation, de la morale et de l'amour, des positions intenables et contradictoires. Les précieuses exaltent l'amour tout en manifestant leur pruderie à l'égard des hommes, par crainte de leur être soumises. Elles sont très attentives à l'élégance et aux bienséances, tout en se révélant promptes à dénoncer le mauvais goût, parfois sans nuance. Dans *La Critique*, Climène fait partager son opinion sur *L'École des femmes* en usant d'images liées à la nourriture dont elle réprouve pourtant la vulgarité dans la pièce de Molière : «*Les enfants par l'oreille* m'ont paru d'un goût détestable ; *la tarte à la crème* m'a affadi le cœur ; et j'ai pensé vomir au *potage.*» (scène 3, p. 143) L'hypocrisie d'une telle attitude fait naître le comique, aux dépens des femmes aussi bien que des hommes.

Molière est féministe, si l'on considère qu'il promeut la liberté, le droit à l'éducation, au bonheur et la confiance en l'individu. Les préjugés du barbon sur l'éducation des filles s'avèrent ridicules et inefficaces : la femme doit pouvoir accéder à la connaissance. Il n'est pas de morale véritable sans choix moral, sans liberté et sans conscience. Chrysalde, dès la scène 1 de l'acte I, pose à Arnolphe cette question essentielle : «Mais comment voulez-vous, après tout, qu'une bête/ Puisse jamais savoir ce que c'est qu'être honnête ?» (v. 107-108). «Rendre idiote» (v. 138) une femme est un projet insensé, contraire à la dignité de l'individu, au sein duquel l'homme s'avilit au moins autant qu'il avilit son épouse. Les femmes étant par excellence les victimes de la tyrannie des pouvoirs, Molière leur prête une attention toute particulière. Mais on ne saurait réduire la portée de ses œuvres à la défense d'un seul sexe : c'est en l'humanité et en la dignité de chaque individu, et non en la femme en particulier, qu'il demande de croire.

L'innocence du plaisir

Le corps et l'esprit : les vertus d'une morale bien tempérée : Les exigences de l'humanisme imposent de ne pas rejeter le corps, au nom d'une vision idéalisée de l'homme comme pur esprit, qu'une conception étroite de la religion tendrait à imposer. Mais il ne s'agit pas non plus de se rendre dépendant de ses désirs. C'est une folie, dont Arnolphe paie dans la pièce le prix fort. Le sage Chrysalde rappelle la nécessité de la mesure en matière de morale : « Car, pour se bien conduire en ces difficultés,/Il y faut comme en tout fuir les extrémités. » (v. 1250-1251). Pour lui, il importe de condamner la recherche effrénée du plaisir et la complaisance avec l'immoralité, tout autant qu'une vision trop austère des relations conjugales. Chrysalde prône une position intermédiaire et équilibrée, celle de « l'homme prudent » (v. 1269) qui s'en tient à une vertu raisonnable et à une sagesse du juste milieu, telle qu'Aristote (384 av. J.-C. – 322 av. J.-C.), par exemple, la décrit dans l'*Éthique à Nicomaque*[1]. L'homme ne pouvant pas maîtriser la relation conjugale, qui est pour Chrysalde, le fruit du hasard – il utilise l'image du « jeu de dés » (v. 1282) –, il ne doit pas s'inquiéter de ce qui ne dépend pas de lui. Le véritable exercice de sa liberté et de sa volonté le conduira à accepter son sort sans joie excessive, mais avec calme, voire avec une certaine indifférence.

Agnès incarnerait ce rapport bien tempéré au plaisir. Elle présente l'image de l'individu tel qu'il est avant d'avoir reçu la connaissance, c'est-à-dire, en référence à la *Genèse*, premier livre de l'*Ancien Testament*, avant le péché originel. Pour Molière, le naturel est innocent. Le christianisme imposerait abusivement à l'homme d'expier sans cesse une culpabilité qui tire son origine bien davantage des conventions sociales et des contraintes morales que de ses penchants spontanés. Sensible aux douces paroles d'Horace, la jeune fille pose à Arnolphe cette question : « Le moyen de chasser ce qui fait du plaisir ? » (v. 1527). Les discours moraux et religieux s'efforcent vainement de contraindre l'individu à renoncer à la force irrésistible du désir. Les exigences stoïciennes

---

1. Voir Aristote, *Éthique à Nicomaque*, livre II, chap. 6 : « La vertu est donc une disposition acquise volontaire, consistant par rapport à nous, dans la mesure, définie par la raison conformément à la conduite de l'homme réfléchi. Elle tient la juste moyenne entre deux extrémités fâcheuses, l'une par l'excès, l'autre par défaut. »

d'Arnolphe conduisent à mutiler l'être. Il importe de modérer ses passions, et non de les retrancher. Pour Agnès, qui incarne également la jeune génération face aux contraintes rétrogrades et conservatrices d'Arnolphe, ce qui compte est le « goût » qu'elle éprouve pour Horace, ainsi que le discours qu'il lui tient, « si rempli de plaisirs/ Que de se marier il donne des désirs. » (v. 1515 et 1518-1519). Il n'est possible ni d'imposer le silence à un si doux sentiment, qui naît naturellement de la rencontre des cœurs, ni de le commander par de pompeux discours. Arnolphe, à la scène 5 de l'acte V, en fait l'expérience à ses dépens. Le dénouement de la pièce confirme cette morale du plaisir, en unissant Agnès et Horace par les liens du mariage. Dans la pièce, la découverte de l'amour sincère et du plaisir qui l'accompagne est présentée comme la voie la plus féconde d'accomplissement de l'individu.

Le miracle du triomphe de l'amour : Providence ou hasard ? : Le bonheur est donc une affaire de morale, plus que de religion. Le dénouement offre, en conclusion, ce vers qui semble être un rappel *in extremis* de la présence de Dieu, auparavant absent de la pièce : « Et rendre grâce au Ciel, qui fait tout pour le mieux. » (v. 1779). La Providence est remerciée pour la résolution inespérée d'une situation qui aurait pu basculer dans le drame. Loin des « chaudières bouillantes » (v. 727) d'Arnolphe et des images de l'Enfer, elle vient opportunément au secours des honnêtes gens et de l'amour sincère.

Ce dénouement de convention rétablit toutefois de manière brutale et inattendue une situation qui semblait sans issue pour les amoureux. La reconnaissance d'Agnès comme fille d'Enrique est invraisemblable et elle est à peine justifiée par le duo concertant de Chrysalde et d'Oronte, qui s'expriment chacun à tour de rôle (V, 9, v. 1740-1764). Le miracle, plus que celui de Dieu, serait celui du théâtre, qui fait croire à la multiplication des hasards. Le triomphe final de l'amour est aussi celui de la convention théâtrale, qui offre la possibilité de l'invraisemblance et d'un dénouement qui n'aurait certainement jamais pu avoir lieu ailleurs que sur la scène.

CONCLUSION

Face aux menaces que fait peser la tyrannie sur l'épanouissement des individus, la fiction est donc consolatoire. Molière, qui pose sur le monde un regard lucide et sans illusion, pointe sans doute délibérément le caractère artificiel d'une conclusion qui autorise, le temps d'une scène, la prééminence du plaisir sur le rigorisme et l'hypocrisie. Sur ce dénouement festif et apaisé, le départ d'Arnolphe, dont est consacrée symboliquement la mort scénique, jette simplement une ombre discrète. Tout n'est certes pas entièrement « pour le mieux » (v. 1779), mais le sacrifice du barbon, vite oublié, semble le prix à payer pour le bonheur des jeunes gens. Au jeu de l'amour et du hasard, il faut un perdant. Dans ce cas, la morale semble rendre acceptable la défaite d'Arnolphe. En sourdine, Molière nous rappelle toutefois ainsi que les hommes n'échappent jamais entièrement à la violence et aux rapports de pouvoir.

VERS LA DISSERTATION

Dans la préface du *Tartuffe*, Molière affirme : « Si l'on prend la peine d'examiner de bonne foi ma comédie, on verra sans doute que mes intentions y sont partout innocentes, et qu'elle ne tend nullement à jouer les choses que l'on doit révérer. »

Pensez-vous que l'on puisse en dire de même de *L'École des femmes* ?

QUESTIONS

Pour préparer la dissertation, répondez aux questions suivantes.
1. Montrez que *L'École des femmes* ne porte atteinte aux principes essentiels ni de la morale, ni de la religion.
2. Expliquez pourquoi néanmoins certaines scènes de *L'École des femmes* ont pu être considérées comme choquantes et immorales.
3. Identifiez, en vous appuyant sur votre lecture de la pièce, ainsi que de *La Critique de l'École des femmes*, les passages qui ont pu donner lieu à des interprétations divergentes et faire naître la polémique.

OBJECTIF BAC

Objet d'étude : Théâtre et représentation

DOCUMENTS

A. MOLIÈRE, *L'École des femmes* (1662), I, 4

B. PIERRE CORNEILLE, *Polyeucte* (1641), III, 2

C. EUGÈNE IONESCO, *La Cantatrice chauve* (1950), scène 1 © Gallimard, 1954

D. HENRI BERGSON, *Le Rire. Essai sur la signification du comique* (1900) © PUF, 1959

DOCUMENT A

MOLIÈRE, *L'École des femmes* (1662), I, 4

« À ne vous rien cacher de la vérité pure » [...] « [...] La fâcheuse pilule ! »

➡ pp. 35-37, v. 303-332

> *Horace vient de rencontrer Arnolphe, un ami de son père. Il lui confie qu'il s'est épris d'Agnès, sans savoir qu'Arnolphe, le tuteur de la jeune fille, cherche lui-même à l'épouser.*

Polyeucte, un grand seigneur arménien, s'est converti au christianisme.
Pour manifester sa foi, il a décidé de se rendre au temple. Il y brise les idoles
au cours d'un sacrifice. Il a convaincu Néarque, son ami, de l'accompagner
dans cette démarche susceptible de les entraîner l'un et l'autre vers la mort.

PAULINE, STRATONICE
PAULINE

765   Mais sachons-en l'issue. Eh bien ! Ma Stratonice,
Comment s'est terminé ce pompeux sacrifice ?
Ces rivaux généreux au temple se sont vus ?

STRATONICE

Ah ! Pauline !

PAULINE

Mes vœux ont-ils été déçus ?
J'en vois sur ton visage une mauvaise marque ?
770   Se sont-ils querellés ?

STRATONICE
Polyeucte, Néarque,

Les chrétiens…

PAULINE
Parle donc : les chrétiens…

STRATONICE

Je ne puis.

PAULINE
Tu prépares mon âme à d'étranges ennuis.

STRATONICE
Vous n'en sauriez avoir une plus juste cause.

PAULINE

L'ont-ils assassiné ?

STRATONICE
                    Ce serait peu de chose.
775 Tout votre songe est vrai, Polyeucte n'est plus…

PAULINE

Il est mort !

STRATONICE
                    Non, il vit ; mais ô pleurs superflus !
Ce courage si grand, cette âme si divine,
N'est plus digne du jour, ni digne de Pauline.
Ce n'est plus cet époux si charmant à vos yeux ;
780 C'est l'ennemi commun de l'État et des dieux,
Un méchant, un infâme, un rebelle, un perfide,
Un traître, un scélérat, un lâche, un parricide,
Une peste exécrable à tous les gens de bien,
Un sacrilège impie : en un mot, un chrétien.

PAULINE

785 Ce mot aurait suffi sans ce torrent d'injures.

STRATONICE

Ces titres aux chrétiens, sont-ce des impostures ?

PAULINE

Il est ce que tu dis, s'il embrasse leur foi ;
Mais il est mon époux, et tu parles à moi.

STRATONICE

Ne considérez plus que le Dieu qu'il adore.

PAULINE

790 Je l'aimai par devoir : ce devoir dure encore.

DOCUMENT C

Eugène Ionesco , *La Cantatrice chauve* (1950), scène 1 © Gallimard, 1954

M. et Mme Smith ont une discussion sur le cas de la veuve de Bobby Watson, mort deux ans auparavant.

MME SMITH

C'est triste pour elle d'être demeurée veuve si jeune.

M. SMITH

Heureusement qu'ils n'ont pas eu d'enfants.

MME SMITH

Il ne leur manquait plus que cela ! Des enfants ! Pauvre femme, qu'est-ce qu'elle en aurait fait !

M. SMITH

5   Elle est encore jeune. Elle peut très bien se remarier. Le deuil lui va si bien.

MME SMITH

Mais qui prendra soin des enfants ? Tu sais bien qu'ils ont un garçon et une fille. Comment s'appellent-ils ?

M. SMITH

Bobby et Bobby comme leurs parents. L'oncle de Bobby Watson,
10   le vieux Bobby Watson est riche et il aime le garçon. Il pourrait très bien se charger de l'éducation de Bobby.

MME SMITH

Ce serait naturel. Et la tante de Bobby Watson, la vieille Bobby Watson pourrait très bien, à son tour, se charger de l'éducation de Bobby Watson, la fille de Bobby Watson. Comme ça, la maman de
15   Bobby Watson, Bobby, pourrait se remarier. Elle a quelqu'un en vue ?

M. SMITH

Oui, un cousin de Bobby Watson.

Mme Smith

Qui ? Bobby Watson ?

M. Smith

De quel Bobby Watson parles-tu ?

Mme Smith

De Bobby Watson, le fils du vieux Bobby Watson l'autre oncle de
20 Bobby Watson, le mort.

M. Smith

Non, ce n'est pas celui-là, c'est un autre. C'est Bobby Watson,
le fils de la vieille Bobby Watson la tante de Bobby Watson, le
mort.

Mme Smith

Tu veux parler de Bobby Watson, le commis-voyageur ?

M. Smith

25 Tous les Bobby Watson sont commis-voyageurs.

DOCUMENT D

Henri Bergson, *Le Rire. Essai sur la signification du comique* (1900)
© PUF, 1959

Mais nous avons assez parlé de la répétition et de l'inversion.
Nous arrivons à *l'interférence des séries*. C'est un effet comique dont
il est difficile de dégager la formule, à cause de l'extraordinaire
variété des formes sous lesquelles il se présente au théâtre. Voici
5 peut-être comme il faudrait le définir : *Une situation est toujours
comique quand elle appartient en même temps à deux séries d'événements
absolument indépendantes, et qu'elle peut s'interpréter à la fois dans deux
sens différents.*

On pensera aussitôt au *quiproquo*. Et le quiproquo est bien en
10 effet une situation qui présente en même temps deux sens différents,

l'un simplement possible, celui que les acteurs lui prêtent, l'autre
réel, celui que le public lui donne. Nous apercevons le sens réel de
la situation, parce qu'on a eu soin de nous en montrer toutes les
faces ; mais les acteurs ne connaissent chacun que l'une d'elles : de là
15 leur méprise, de là le jugement faux qu'ils portent sur ce qu'on fait
autour d'eux comme aussi sur ce qu'ils font eux-mêmes. Nous allons
de ce jugement faux au jugement vrai ; nous oscillons entre le sens
possible et le sens réel ; et c'est ce balancement de notre esprit entre
deux interprétations opposées qui apparaît d'abord dans l'amusement
20 que le quiproquo nous donne. On comprend que certains philosophes
aient été surtout frappés de ce balancement, et que quelques-uns
aient vu l'essence même du comique dans un choc, ou dans une
superposition, de deux jugements qui se contredisent. Mais leur
définition est loin de convenir à tous les cas ; et, là même où elle
25 convient, elle ne définit pas le principe du comique, mais seulement
une de ses conséquences plus ou moins lointaines. Il est aisé de voir,
en effet, que le quiproquo théâtral n'est que le cas particulier d'un
phénomène plus général, l'interférence des séries indépendantes, et
que d'ailleurs le quiproquo n'est pas risible par lui-même, mais
20 seulement comme *signe* d'une interférence de séries.

QUESTION SUR LE CORPUS (6 points)

Identifiez les malentendus, méprises ou quiproquos qui vous sont présentés
dans les trois premiers documents (A, B, C). En vous appuyant sur votre
lecture du document D, vous analyserez leurs effets sur l'intrigue et sur la
mise en scène.

TRAVAUX D'ÉCRITURE (14 points)

Commentaire

Vous commenterez l'extrait de *L'École des femmes* de Molière (document A).
Vous pourrez vous appuyer sur le parcours de lecture suivant :

1. Analysez les ressorts du comique, dans cette scène.
2. Montrez en quoi l'imprudence d'Horace permet la révélation du caractère
des personnages.

Dissertation

Le théâtre est-il un art de la parole et du dialogue, ou un témoignage de l'incommunicabilité entre les êtres?

Vous répondrez à cette question dans un développement argumenté qui s'appuiera sur votre analyse des textes du *corpus* et sur votre culture personnelle.

Écriture d'invention

Écrivez une scène de théâtre dans laquelle un personnage se trompe sur l'identité de celui avec lequel il dialogue. Cette erreur a des conséquences importantes sur la suite de l'action. Il vous est laissé le libre choix du registre que vous utiliserez (comique ou tragique).

SUJET D'ÉCRIT **2** Le sermon

Objet d'étude : Les réécritures

DOCUMENTS

A. MOLIÈRE, *L'École des femmes* (1662), III, 2

B. BOSSUET, *Sermon sur la mort* (1662)

C. RABELAIS, *Pantagruel* (1532), chap. VIII

D. Image en page de couverture, mise en scène de *L'École des femmes*, par Jacques Lassalle (2001)

DOCUMENT A

MOLIÈRE, *L'École des femmes* (1662), III, 2

« Le mariage, Agnès, n'est pas un badinage » [...] « Où l'on plonge à jamais les femmes mal vivantes »

➡ pp. 61-63, v. 695-728

Arnolphe, qui craint plus que tout d'être cocu, s'efforce d'apprendre à Agnès les devoirs d'une femme mariée. Il veut dissuader la jeune fille, dont il est le tuteur et qu'il veut épouser, de succomber à ses sentiments pour Horace.

DOCUMENT B

BOSSUET, *Sermon sur la mort* (1662)

Qu'est-ce que cent ans, qu'est-ce que mille ans, puisqu'un seul moment les efface ? Multipliez vos jours, comme les cerfs, que la Fable ou l'Histoire de la nature fait vivre durant tant de siècles ;
5 durez autant que ces grands chênes sous lesquels nos ancêtres se sont reposés, et qui donneront encore de l'ombre à notre postérité ; entassez dans cet espace, qui paraît immense, honneurs, richesses, plaisirs : que vous profitera cet amas, puisque le dernier souffle de la mort, tout faible, tout languissant, abattra tout à coup cette vaine pompe avec la même facilité qu'un château de cartes, vain
10 amusement des enfants ? Que vous servira d'avoir tant écrit dans ce livre, d'en avoir rempli toutes les pages de beaux caractères, puisque enfin une seule rature doit tout effacer ? Encore une rature laisserait-elle quelques traces du moins d'elle-même ; au lieu que ce dernier moment, qui effacera d'un seul trait toute votre vie, s'ira perdre
15 lui-même, avec tout le reste, dans ce grand gouffre du néant. Il n'y aura plus sur la terre aucuns vestiges de ce que nous sommes : la chair changera de nature ; le corps prendra un autre nom [...].

Qu'est-ce donc que ma substance, ô grand Dieu ? J'entre dans la vie pour [en] sortir bientôt ; je viens me montrer comme les autres ;
20 après, il faudra disparaître. Tout nous appelle à la mort : la nature, presque envieuse du bien qu'elle nous a fait, nous déclare souvent et nous fait signifier qu'elle ne peut pas nous laisser longtemps ce peu de matière qu'elle nous prête, qui ne doit pas demeurer entre les mêmes mains, et qui doit être éternellement dans le commerce : elle
25 en a besoin pour d'autres formes, elle la redemande pour d'autres ouvrages.

Cette recrue continuelle du genre humain, je veux dire les enfants qui naissent, à mesure qu'ils croissent et qu'ils s'avancent, semblent

30 nous pousser de l'épaule et nous dire : Retirez-vous c'est maintenant notre tour. Ainsi, comme nous en voyons passer d'autres devant nous, d'autres nous verront passer qui doivent à leurs successeurs le même spectacle. O Dieu ! encore une fois, qu'est-ce que de nous ? Si je jette la vue devant moi, quel espace infini où je ne suis pas ! si je la retourne en arrière, quelle suite effroyable où je ne suis plus ! et que j'occupe 35 peu de place dans cet abîme immense du temps ! Je ne suis rien : un si petit intervalle n'est pas capable de me distinguer du néant ; on ne m'a envoyé que pour faire nombre ; encore n'avait-on que faire de moi, et la pièce n'en aurait pas été moins jouée, quand je serais demeuré derrière le théâtre.

DOCUMENT C

RABELAIS, **Pantagruel** (1532), chap. VIII (orthographe modernisée)

Pantagruel, qui fait ses études à Paris, reçoit une lettre de son père, Gargantua.

Très cher fils,

Entre les dons, grâces et prérogatives desquelles le souverain plasmateur[1], Dieu tout puissant a endouairé[2] et aorné[3] l'humaine nature à son commencement, celle-ci me semble singulière et 5 excellente, par laquelle elle peut en état mortel acquérir espèce d'immortalité et, en décours de vie transitoire[4], perpétuer son nom et sa semence : ce qui est fait par lignée issue de nous en mariage légitime. Dont nous est aucunement instauré[5] ce qui nous fut tollu[6] par le péché de nos premiers parents, èsquels[7] fut dit que, parce qu'ils 10 n'avaient été obéissants au commandement de Dieu le créateur, ils mourraient et par mort serait réduite à néant cette magnifique plasmature[8] en laquelle avait été l'homme créé. Mais ès parents, et ès neveux ce qui dépérissait ès enfants ; et ainsi successivement jusques à l'heure du jugement final, quand Jésus-Christ aura rendu à Dieu le 15 père son royaume pacifique hors tout danger et contamination de péché : car alors cesseront toutes générations et corruptions, et seront

---

1. Créateur. \ 2. Doté. \ 3. Orné. \ 4. Au cours d'une vie transitoire. \ 5. Rendu. \ 6. Pris, ôté. \ 7. Auxquels. \ 8. Forme.

les éléments hors de leurs transmutations continues, vu que la paix
tant désirée sera consumée[1] et parfaite et que toutes choses seront
réduites à leur fin et période.

20   Non donc sans juste et équitable cause je rends grâces à Dieu,
mon conservateur, de ce qu'il m'a donné pouvoir voir mon antiquité
chanue[2] refleurir en ta jeunesse [...].

Et ce que présentement t'écris n'est tant afin qu'en ce train
vertueux tu vives, que d'ainsi vivre et avoir vécu tu te réjouisses et
25   te rafraîchisses en courage pareil pour l'avenir.

DOCUMENT D

Image de la mise en scène de **L'École des femmes**, par Jacques Lassalle (2001)

Vous pouvez vous reporter à la couverture de l'édition.

QUESTION SUR LE CORPUS (6 points)

Identifiez, dans les documents du *corpus*, les caractéristiques du genre du
sermon et ses effets sur le destinataire, et analysez les différentes déclinaisons
qui vous en sont proposées.

TRAVAUX D'ÉCRITURE (14 points)

Commentaire

Vous commenterez l'extrait de *L'École des femmes*, de Molière.

Vous pourrez vous appuyer sur le parcours de lecture suivant :

1. Analysez la conception du mariage que développe Arnolphe, afin de
convaincre Agnès de lui rester soumise.

2. En quoi cette scène est-elle comique ? Pourquoi ce « sermon » a-t-il
choqué les spectateurs de l'époque ?

Dissertation

Pensez-vous que la réécriture, même lorsqu'elle vise un effet comique, peut
constituer une forme d'hommage au genre ou au texte qu'elle revisite ?

---

1. Consommée. \ 2. Chenue, âgée.

Vous répondrez à cette question en vous appuyant sur votre lecture des textes du *corpus*, ainsi que sur votre culture personnelle.

Écriture d'invention

Devenue l'heureuse épouse d'Horace, Agnès envoie une lettre à Arnolphe, en réponse au sermon que le barbon lui avait fait sur le mariage. Elle lui explique les vertus du respect et de l'amour dans la relation entre époux.

Votre lettre aura une dimension argumentative et didactique.

SUJET D'ORAL 1 La scène d'exposition

Molière, *L'École des femmes* (1662), I, 1
« Vous venez, dites-vous, pour lui donner la main ? » [...] « Doit craindre qu'en revanche on rie aussi de lui ».
➡ pp. 15-17, v. 1-46

Question

Quelle est la dynamique de cette scène d'exposition ? L'action vous semble-t-elle déjà engagée ?

> **Pour vous aider à répondre**
> Montrez que cette scène, comme toute scène d'exposition, est le fruit d'un compromis entre la nécessité de présenter la situation et les personnages, et celle de plonger le spectateur au plus vite dans l'action.
> Réfléchissez au rôle et à la composition du dialogue, ainsi qu'aux modalités d'enchaînement des répliques. La longue tirade d'Arnolphe (v. 21-45) rompt-elle la dynamique de l'exposition ? Analysez les portraits satiriques que fait Arnolphe des couples mariés.
> Montrez que cette scène contribue à faire de l'obsession du cocuage un ressort essentiel de l'action et du comique.

Comme à l'entretien

1. Analysez le rôle du personnage de Chrysalde dans la pièce. Pourquoi Molière lui laisse-t-il à la fois le premier et le dernier mot ?

2. Montrez que, dans la pièce, Arnolphe est essentiellement le « spectateur » (vers 44), et non l'acteur, sur le théâtre du monde.

3. Montrez que les comédies de Molière permettent « d'entrer comme il faut dans le ridicule des hommes » (*La Critique de l'École des femmes*, scène 6). Citez et analysez d'autres « ridicules » que la crainte du cocuage qui caractérise Arnolphe, et que dénoncent les comédies.

4. Comparez cet extrait avec d'autres scènes d'exposition, en vous appuyant sur votre cours et/ou sur votre culture personnelle.

SUJET D'ORAL 2 La farce

MOLIÈRE, *L'École des femmes* (1662), I, 2
« Qui heurte ? » [...] « Cheval, âne ou mulet, qu'elle ne prît pour vous. »
➡ pp. 25-29, v. 199-230

Question

Identifiez et analysez les procédés de la farce dans cette scène.

Pour vous aider à répondre
Analysez le rythme des vers et de la scène. Identifiez les jeux de scène comiques. Montrez l'importance des didascalies. Montrez qu'Alain et Georgette sont définis par quelques traits de caractère simples et caricaturaux. Intéressez-vous à la dimension mécanique de leurs réactions, qui fait d'eux des marionnettes, autant que des personnages.
Quelle vérité sur Arnolphe les deux valets nous apprennent-ils ? Montrez que la farce n'est pas gratuite et qu'elle permet de prolonger l'exposition.

Comme à l'entretien

1. Pourquoi Molière introduit-il cette scène de farce à la suite de la longue scène 1 de l'acte I ?

2. Montrez que le comique de la farce est très lié à la fête du carnaval, qui repose sur l'inversion des rôles et de la hiérarchie. Vous vous appuierez sur l'analyse de cet extrait ainsi que sur d'autres scènes de farce que vous connaissez.

3. Quel rôle ont généralement les valets dans les comédies de Molière ?

4. Quelle différence faites-vous entre la farce et la grande comédie ? Est-il légitime d'opposer, comme Boileau l'a fait, « l'auteur du *Misanthrope* » et le « sac ridicule où Scapin s'enveloppe » ?

SUJET D'ORAL **3** Le personnage d'Agnès

MOLIÈRE, *L'École des femmes* (1662), III, 4
« Mais il faut qu'en ami je vous montre la lettre » [...] « Adieu ».
➡ pp. 74-75, v. 940-960 (« Adieu. »)

Question

Montrez que cette scène révèle la métamorphose d'Agnès, sous l'effet de l'amour.

Pour vous aider à répondre

Intéressez-vous à l'effet produit par l'introduction du style épistolaire sur le théâtre, et expliquez les raisons de ce choix. Montrez que la lettre prouve qu'Agnès a accédé à la parole : elle exprime ses sentiments, juge avec lucidité l'éducation qu'elle a reçue et fait part de son aspiration à la liberté. Analysez l'admiration d'Horace face au spectacle de cette métamorphose. Analysez ce qui, dans cette lettre, témoigne de la maladresse et de la naïveté persistantes d'Agnès. La déclaration qu'elle fait à Horace est-elle vraiment l'expression de la « pure nature » (v. 944) ou laisse-t-elle la place à certains lieux communs du discours amoureux ?

Comme à l'entretien

1. La rapidité de l'évolution d'Agnès vous semble-t-elle vraisemblable ? Comment peut-on l'expliquer ?

2. Quelle peut-être l'attitude d'Arnolphe au moment de la lecture de la lettre ? Imaginez les effets de mise en scène.

3. Montrez qu'Agnès remet en cause le lien entre la nature et le péché. Pourquoi cela a-t-il choqué les contemporains de Molière ?

4. « Il le faut avouer, l'amour est un grand maître :
Ce qu'on ne fut jamais il nous enseigne à l'être » (v. 900-901).

Cette vision de l'amour « enseignant » est-elle la plus répandue dans la littérature ? Citez des exemples où l'amour est plutôt lié à la folie.

MOLIÈRE, *L'École des femmes* (1662), V, 4

« Hé bien ! faisons la paix » [...] « me vengera de tout. »

➡ pp. 112-113, v. 1580-1611

Question

Montrez que le personnage d'Arnolphe est menacé par la folie.

Pour vous aider à répondre

Montrez que le discours d'Arnolphe oscille entre les reproches et la déclaration d'amour aussi passionnée que désespérée. Pourquoi la colère finit-elle par triompher et Arnolphe par faire parler la loi du plus fort ?

Relevez et analysez tous les signes de l'outrance de son discours et de ses sentiments.

L'expression de sa douleur fait-elle de lui un personnage tragique ? Montrez que, dans cet extrait, le ridicule d'Arnolphe assure la permanence du registre comique.

Comme à l'entretien

1. « Et ce Monsieur de la Souche, enfin, qu'on nous fait un homme d'esprit, et qui paraît si sérieux en tant d'endroits, ne descend-il point dans quelque chose de trop comique et de trop outré au cinquième acte, lorsqu'il explique à Agnès la violence de son amour, avec ces roulements d'yeux extravagants, ces soupirs ridicules, et ces larmes niaises qui font rire tout le monde ? » (*La Critique de l'École des femmes*, scène 6, p. 169).

Quelles indications Lysidas, dans *La Critique de l'École des femmes*, nous donne-t-il sur la mise en scène de Molière ? Les mises en scènes contemporaines ont-elles toutes retenu cette interprétation du personnage d'Arnolphe ?

2. Le projet tyrannique d'Arnolphe et son inversion, dans la soumission aveugle aux désirs de la femme, constituent les deux versants opposés, mais comparables par leur ridicule, de la folie du personnage. Quelle vision du mariage Molière propose-t-il ainsi, en négatif ?

3. Quel rôle jouait le couvent pour les femmes du XVIIᵉ siècle ? Molière approuve-t-il cet usage ?

4. Le personnage ridicule, dont les comédies de Molière dénoncent les vices, peut-il changer ? Montrez que le dramaturge porte un regard sans illusions sur la capacité des hommes à se guérir de leurs folies.

POUR ALLER PLUS LOIN

■ **Entretien avec Jacques Lassalle, auteur,
comédien et metteur en scène**

Directeur du théâtre national de Strasbourg dans les années 1980, Jacques Lassalle fut l'administrateur de la Comédie-Française de 1990 à 1993. Il a reçu le Grand Prix national du théâtre en 1998. Président de l'Association nationale de Recherche et d'Action théâtrale (ANRAT), de 2000 à 2006, il dirige actuellement l'association Jean Vilar et prépare, pour janvier 2012, une nouvelle mise en scène de *L'École des femmes* à la Comédie-Française.

1. Votre mise en scène de L'École des femmes, représentée en 2001 et filmée en 2004 au théâtre de l'Athénée-Louis Jouvet, constitue un hommage à la mise en scène de Louis Jouvet de 1936. Elle en reprend notamment les décors. Que vous a apporté cette référence ? Quel regard portez-vous aujourd'hui sur cette mise en scène de Louis Jouvet ?

Cette mise en scène s'inscrivait dans l'année du cinquantième anniversaire de la mort de Jouvet (août 1953). Le théâtre de l'Athénée, qui fut son dernier théâtre, a donc suscité durant la saison 2002-2003 la reprise d'une dizaine de pièces dont Jouvet avait lui-même assuré la mise en scène de Molière à Giraudoux, et à Jules Romains. Avec *Knock, L'École des femmes* fut assurément le plus grand succès public de Jouvet, ses bouées de sauvetage. Il les reprenait chaque fois qu'un de ses autres spectacles n'avait pas le succès espéré. C'est ainsi qu'il représenta et joua *L'École des femmes* de 1938 (année de Munich) à 1953 (année de sa mort), avec entre les deux, durant toute la durée de la Seconde Guerre mondiale, la tournée d'Amérique latine. Il ne faut pas douter qu'entre la création encore très giralducienne et ludique de 1938 et les dernières représentations contemporaines de ses sombres et quasi mystiques *Tartuffe* et *Dom Juan*, sa conception de l'œuvre et son jeu aient beaucoup évolué. Mais c'est toujours dans les légendaires décors et les costumes de Christian Bérard que Jouvet représenta *L'École des femmes* et joua Arnolphe. D'une certaine façon, ils sont devenus pour ainsi dire consubstantiels à notre lecture de l'œuvre. C'est la raison pour laquelle sans doute, l'Athénée et en particulier son mécène, Pierre Bergé, me demandèrent de conserver dans ma mise en scène, sinon littéralement, au moins dans ses options essentielles, la scénographie de Christian Bérard-Jouvet. J'hésitai beaucoup. Je n'ai jamais pensé en effet que la mise en scène eût quelque chose à voir avec l'idée de reconstitution ou d'hommage muséal. Mais, peu à peu, la décision d'accepter s'imposa à moi. Outre l'intelligence dramaturgique et l'invention technique et visuelle de Bérard, cette acceptation me permettait, pour l'unique fois dans mon long parcours, de mettre simultanément à la question aujourd'hui l'œuvre de Molière dans son temps et l'une de ses plus mémorables représentations durant la dense et terrible période 1938-1953.

2. Entre sacralisation et refus, quel doit être pour vous le rapport des mises en scène contemporaines avec la tradition du théâtre ?

La mise en scène, telle que je peux la concevoir, ne se situe jamais entre la sacralisation ou le refus de la tradition théâtrale. La tradition théâtrale, fût-elle celle de Molière, à la Comédie-Française par exemple, n'est, contrairement à ce que l'on peut penser, qu'une longue suite de ruptures, d'ouvertures, d'abandons, de novations techniques, de lectures contradictoires en rapport avec les courants historiques, politiques, sociaux, intellectuels, esthétiques qui les traversent. J'essaie de me souvenir des uns et des autres. Mais je ne lis pas un texte et ne le porte pas à la scène en fonction de tel ou tel référent ou précédent. Seul le texte reste pour l'essentiel invariant. La compréhension que nous en avons et le désir de le représenter changent avec le temps, comme nous-mêmes et comme le monde autour de nous.

3. La pièce mêle la farce et le comique dit «sérieux». Elle nous conduit également aux limites du tragique. N'est-ce pas un défi pour la cohérence du spectacle et de l'interprétation des acteurs?

Aucune pièce de Molière, en effet, autant que *L'École des femmes*, ne mélange à ma connaissance les genres et les humeurs. Elle marque la naissance d'un génie aussi indomptable que celui de Shakespeare ou de Corneille dans ses débuts. Richelieu et Malherbe sont débordés de toutes parts. Le foisonnement composite de l'œuvre constitue certes sa difficulté mais tout autant le plus beau des défis. Entre la farce, la fantaisie romanesque, la réflexion philosophique, la volonté polémique et la vision tragique, il ne faut pas choisir. Il faut tout conserver de cette disparate apparente dans le jeu des acteurs et le traitement scénique des séquences. La fidélité, l'énergie, la modernité de la représentation sont à ce prix.

4. Vous semblez avoir accordé, dans votre mise en scène, une attention particulière à l'éclairage (éclairage de la salle, divers jeux d'ombre et de lumière). Quelle importance et quel sens avaient pour vous ces effets de mise en scène?

L'éclairage, comme le choix des sons et des musiques (originales ou pas) retenus pour un spectacle sont toujours essentiels. Ce n'est pas que raffinement esthétique ou goût de la finition. C'est tout ensemble le sens de l'œuvre et l'unité poétique de sa représentation qui se jouent.

Dans le cas particulier de *L'École des femmes*, la salle s'éclaire lorsqu'Arnolphe prend directement le public à partie, ou qu'il s'expulse de lui-même de la scène et de son propre devenir. C'est aussi une façon de rappeler qu'on est au théâtre, et pas dans son illusion. Quant aux divers jeux d'ombre et de lumière, ils traduisent la progressive descente vers la nuit du cinquième acte et la progressive folie d'Arnolphe pour lequel le monde peu à peu, personnages et environnement se déréalisent.

5. Que pensez-vous de la longue scène d'exposition entre Chrysalde et Arnolphe (acte I, scène 1)? Comment faire entendre le dynamisme et la vigueur de leur dialogue aux spectateurs contemporains?

Longue, oui, et complexe et féroce. Elle est beaucoup plus qu'une simple scène d'exposition. Elle révèle l'état très avancé de la psycho-rigidité d'Arnolphe, ses ambivalences, sa double vie (Arnolphe et Monsieur de la Souche) et l'ambiguïté des rapports des deux amis : Arnolphe traite Chrysalde à mots couverts de cocu complaisant, et Chrysalde traite Arnolphe de chimérique et sottement tyrannique.

6. Au dénouement, Arnolphe quitte la scène. Sa présence est symboliquement maintenue par celle d'un fantoche, habillé de son manteau et dont l'ombre se projette sur un mur. Quel est le sens pour vous de cette conclusion?

Oui, d'une certaine façon, cet Arnolphe qui quitte la scène a perdu toutes ses valeurs, ses illusions, ses raisons d'exister. Il a pris à la fois conscience de son amour et de son impossibilité. C'est un spectre qui quitte le théâtre. Il ne sort de scène que pour mourir. Comme Dandin, comme Sganarelle privé de Dom Juan. Quant à la défroque abandonnée de son manteau déployée sur la porte par les paysans Alain et Georgette, comme un dérisoire exorcisme, j'ai pensé aux chouettes ou aux hiboux crucifiés sur la porte des granges du plus profond de nos campagnes, aujourd'hui encore.

7. D'après vous, Arnolphe est-il un personnage doté d'un pouvoir inquiétant ou un barbon ridicule, victime de ses faiblesses et auxquels ses valets eux-mêmes n'hésitent pas à donner la bastonnade?

C'est un personnage riche, puissant, sur bien des points, honorable (fidélité, générosité, «amicalité») et simultanément un monstre en devenir qui travestit son désir quasi pédophile de la petite Agnès ainsi que sa volonté de la garder en enfance, corps et esprit, en doctrine argumentée sur l'être féminin et sa patente infériorité.

Ce n'est pas un barbon : il n'a que quarante ans, l'âge de Molière lui-même quand il écrit la pièce. Au XVIIe siècle, c'est beaucoup plus qu'aujourd'hui. Mais ce n'est pas encore la sénilité. Et ridicule, le personnage ne l'est jamais, même si les situations où il se place peuvent le donner à penser. Et ses valets ne le bastonnent (avec malice, il est vrai) que sur sa propre demande. Autrement, il les terrifie. Après tout, ce n'est pas moins que le meurtre d'Horace et la séquestration secrète d'Agnès qu'il envisage aux quatrième et cinquième actes.

8. Mettre en scène L'École des femmes *aujourd'hui*, est-ce forcément insister sur la difficulté des rapports hommes/femmes ? En quoi cette pièce peut-elle parler à un spectateur contemporain ?

Oui, bien sûr. C'est un des grands thèmes de Molière, à partir de sa propre passion, semble-t-il, au moins compliquée, sinon malheureuse, pour Armande Béjart. Avant sa bouleversante déclaration d'amour du cinquième acte, Arnolphe ne dépare pas la funèbre et pérenne cohorte des phallocrates misogynes et esclavagistes (un jour, après la représentation, une jeune écolière musulmane a même pu le comparer à un taliban).

Mais contrairement à une idée reçue, le regard que porte Molière sur les femmes n'est pas celui de tel ou tel de ses ***personnages*** : Elvire (***Dom Juan***), Elmire (***Le Tartuffe***), Alcmène (***Amphitryon***), Angélique (***George Dandin***) et même, et surtout, Célimène (***Le Misanthrope***) sont d'admirables figures de femmes qui font appel de l'asservissement de leur condition, et déjà, un demi-siècle avant Marivaux, travaillent comme Agnès à l'affirmation de leur identité.

À lire, à voir et à écouter

MIEUX CONNAÎTRE MOLIÈRE

• *Molière,* Roger DUCHÊNE, © Fayard, 1998.

• *Molière,* film d'Ariane MNOUCHKINE, 1978.

MIEUX CONNAÎTRE SON ŒUVRE

• *Œuvres complètes,* MOLIÈRE, Bibliothèque de la Pléiade, © Gallimard, 1971, 2 volumes. Pour la lecture de *L'École des femmes,* on peut en particulier se reporter utilement aux œuvres suivantes : *Les Précieuses ridicules* (1659), *L'École des maris* (1661), *Le Tartuffe ou l'Imposteur* (1664 pour la 1re version de la pièce, 1669 pour la version définitive), volume I ; *Dom Juan ou le Festin de Pierre* (1665), *Le Misanthrope ou l'Atrabilaire amoureux* (1666), volume II.

• *Molière ou l'Esthétique du ridicule,* Patrick DANDREY, © Klincksieck, 1992.

• *Molière ou les Métamorphoses du comique. De la comédie morale au triomphe de la folie,* Gérard DEFAUX, © Klincksieck, 1992.

• *Molière en toutes lettres,* Georges FORESTIER, © Bordas, 1990.

ÉTUDES SUR LE THÉÂTRE CLASSIQUE

• *Morales du Grand Siècle,* Paul BENICHOU, © Gallimard, 1948.

• *La Comédie à l'âge classique, 1630-1715,* Gabriel CONESA, © Le Seuil, 1995.

• *La Dramaturgie classique en France,* Jacques SCHERER, © Nizet, 1950.

LA QUESTION DES FEMMES À L'ÉPOQUE CLASSIQUE (XVIe-XVIIIe SIÈCLES)

• *L'Heptameron*, Marguerite de NAVARRE, 1559.

• *La Princesse de Clèves*, Madame de LA FAYETTE, 1678.

• *Lettres sur l'Éducation des filles*, Madame de MAINTENON, 1854.

• *L'Allée du roi : souvenirs de Françoise d'Aubigné, marquise de Maintenon, épouse du Roi de France*, Françoise de CHANDERNAGOR, © Julliard, 1995.

• *Émile ou De l'éducation*, livre V, Jean-Jacques ROUSSEAU, 1762.

• *Déclaration des Droits de la femme et de la citoyenne*, Olympe de GOUGES, 1791.

UNE MISE EN SCÈNE À VOIR

• *L'École des femmes,* mise en scène par Jacques LASSALLE en 2001 au théâtre de L'Athénée-Louis Jouvet ; filmée en 2004, DVD édité par la COPAT.

SITES CONSACRÉS À MOLIÈRE ET À SON ŒUVRE

• http://www.site-moliere.com

• http://www.toutmoliere.com

PAPIER À BASE DE FIBRES CERTIFIÉES

Hatier s'engage pour l'environnement en réduisant l'empreinte carbone de ses livres. Celle de cet exemplaire est de : 600 g éq. CO_2 Rendez-vous sur www.hatier-durable.fr

Achevé d'imprimer par Grafica Veneta à Trebaseleghe - Italie
Dépôt légal n° 95897-7/08 - Février 2018